KU-471-643

Can I Move Your Cheese

我能动谁的奶酪？

我能动谁的奶酪？

陈 彤 著

我能动谁的奶酪？

Can I Move Your Cheese?

陈　彤(著)

朋友啊！我去哪里寻求慰籍
我的心灵啊，感到如此抑郁
我们活着装模做样只为炫耀
都是不值一提的卑贱手艺
你只能学阳光下闪烁的溪流
不然你就会遭到世人的唾弃
最有钱的人受到最高的尊崇
还有谁再去谈论自然和书中的壮丽
对于贪婪、奢侈、巧取豪夺
我们顶礼膜拜五体投地
那崇高的思想和清贫的生活
古老的事业和朴素之美都销声匿迹
逝去了，往日的宁静和天真
清纯的信念与道德的理想法则

——威廉·华兹华斯

目 录

代序：关于奶酪

王　耕

《谁动了我的奶酪》是一本畅销书，这本书之所以畅销，据说是迎合了裁员的趋势。很多公司在裁员的时候，一般是先送给被裁人员这本书，然后对人家说："不要像哼哼那样感到愤懑，不要问究竟是谁动了你的奶酪，不要问他们凭什么动你的奶酪，要像故事中的那两只老鼠一样，立刻穿上跑鞋去寻找新的奶酪，如果实在要痛苦，那么也要适可而止，像唧唧那样，尽快从失去奶酪的悲痛中恢复过来，投入到寻找新奶酪的火热生活中去。"

我不明白，为什么像哼哼那样严肃认真地思考"谁动了我的奶酪"却要受到嘲笑！是谁在笑？真有那么可笑吗？为什么像两只不思考的老

鼠一样生活就是值得学习的？难道我们可以放弃思考甘愿像老鼠一样吗？

说不清迄今为止的成功者究竟是不停地自己穿上跑鞋去找奶酪的人，还是不断地激励别人去找奶酪而自己一次又一次成功地拿走别人奶酪的人！

去做那个动别人奶酪的人吧！如果你总是那个被别人动了奶酪的人，除了说明你是一个失败者还能说明什么？想想看，你能动谁的奶酪？为什么你总是被别人动了奶酪而不是你在动别人的奶酪？

"假如生活不是奶酪，是玉米棒子，你像狗熊掰棒子一样掰一个丢一个吗？那么最后你找了半天，留在你手里的是什么？假如生活是一口井，你能挖两下就换一个地方再挖吗？那样的话你最后可能挖出一口真正的甜水井吗？假如你不去动别人的奶酪，那么别人会不动你的奶酪吗？假如你去动别人的奶酪，你和强盗有什么区别？到底什么叫成功？到底什么叫拥有奶酪？人人都想要的奶酪是你想要的吗？"

"生活是什么？生活就是迷宫；成功是什么？成功就是找到奶酪；幸福是什么？幸福就是

用奶酪建立起自己的生活！”

陈彤在这本书中还给我们提出下面这些问题：人生到底有多少奶酪？是不是我们成功地找到一次奶酪就意味着我们能次次找到奶酪？奶酪和我们的年龄有没有关系？寻找新奶酪只是对失败的一种委婉表达，谁愿意天天去找新的奶酪呢？

这是一本写给追求成功的人看的书。成功者拥有奶酪，失败者失去奶酪，强者用奶酪构筑自己梦想中的辉煌，弱者为了完成强者的梦想而不辞劳苦地去寻找奶酪。

但愿你成为强者成功者！

我们多面的人性

——道德的一面和欲望的一面

故事中虚构的六个角色：老鼠嗅嗅、匆匆和蛛蛛，小矮人哼哼、唧唧和嗎嗎，用来代表我们的不同方面，即我们道德的一面和欲望的一面。

我们每个人都具有这些不同的方面，不论我们的年龄、性别、种族和国籍如何。

有时我们的行为像：

他抛弃了朋友并且和朋友的敌人合作；

或者像：

他从来不问是谁拿走自己的奶酪；

或者像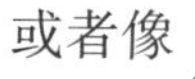：

她把自己变成一块诱人的奶酪；

或者像：

他执着地思考拥有奶酪和幸福到底有什么关系；

或者像：

在欲望的奶酪和道德的奶酪之间徘徊；

或者像：

他总是在想怎么能拿走别人的奶酪；

不管我们选择哪一方面，如果我们选择成功，我们就必须记住，成功的人士不是那种总是被别人拿走奶酪的人，成功人士是那种能够一次又一次地拿走别人的奶酪的人！

Can I Move Your Cheese?

我能动谁的奶酪？

十年后的芝加哥同学聚会

芝加哥一个阳光明媚的星期天，在一个会员制的高尔夫俱乐部酒吧间里，坐着一群人。他们都是毕业于同一个学校同一年级的校友，不过他们不是普通的校友，他们都是社会名流。比如说安杰拉，她现在开着最名贵的车用着最名贵的香水，全世界的人都认识她的亲密爱人，他们婚姻生活的每一个细节都成为报社记者追逐的头条；再比如说内森，几年前他的家族企业面临灭顶之灾，但是经过他力挽狂澜，现在由他率领的家族公司已经如日中天，他本人也连续两年蝉联财富年度人物的殊荣；还有卡洛斯，他过去在学校是一名足球队长，后来做运动器材生意发了大财，被誉为这个世纪最成功的商人！

这些高贵的校友并不是每个星期天都会聚在一起，他们这次聚会是在四个月之前约定的，聚

会的议题是讨论几个星期之后将要举行的母校校庆，这些著名的校友没有一个被母校忘记。是呀，哪个母校会忘记自己曾经培养出的出众的学生呢？这些为母校争光的校友都在半年前收到了来自母校的贵宾邀请函。他们明白这是母校给他们的荣誉，所以他们约定在这个星期天聚会共同讨论如何以实际行动支持母校的庆典。

安杰拉第一个发言，女士优先，何况她是一个美丽而富有的女士，更享有优先的资格。安杰拉是一个从不浪费自己特权的女人，所以她看到人齐了就率先开口："我们离上次聚会大概有十年时间了吧？"

"的确如此！"内森附和道。他一面附和一面绅士地向安杰拉举了举酒杯。

卡洛斯这个时候说："想想吧，十年前我们的午餐会！那时候我们年轻，但是没有钱没有地位很多人正遭受生活的巨大挫折。仅仅十年时间，我们就有了这么大的变化。"

大家都笑了起来。卡洛斯说得对，这时有人提议应该向迈克尔敬酒，因为正是十年前，迈克尔在那个简陋的午餐会上给大家讲了一个奶酪的故事，使所有的人受到激励。如果没有迈克尔，

也许不会有今天的高尔夫之约。

现在迈克尔已经是一个畅销书作家了，他也找到了自己人生的大奶酪——通过不遗余力地教育人们如何去寻找自己的“奶酪”。他给那些找不到“奶酪”的人指出努力的方向，这些人越多，迈克尔的奶酪就会越大；因为这些人总是越来越多，所以迈克尔的奶酪总是越来越大。

“干杯，为了迈克尔！”

就在所有人都举杯为迈克尔祝福的时候，安杰拉仍然坐在原处，一动不动。

“安杰拉，你怎么了？”

“我认为我们已经不需要迈克尔对我们的指导了。实际上，迈克尔并没有给我们什么有价值的指导。他是一个骗子。关于**奶酪的故事，是一个无耻+谎言的故事，而那本《谁动了我的奶酪》的书，是一本阴谋家送给野心家的书。”**

“安杰拉，难道在十年以前你不是认为迈克尔给你帮助很大吗？难道不是因为他的鼓励你才鼓起勇气，离开了你不幸的婚姻并且得到了今天的幸福？”

“我不这样认为，我的幸福观和耗子的幸福观是不同的。也许在那两只叫匆匆和嗅嗅的耗子

看来，我简直幸福得七窍生烟，但是我知道我的付出是什么！迈克尔告诉我们说奶酪可以是生活中一切我们梦寐以求的东西，实际上这是无耻的谎言！因为我们只有一个胃，我们吃了这种奶酪，就没有地方再吃那种奶酪了。我真蠢，怎么会相信世界上存在一种万能的奶酪，你只要拥有了它就可以拥有一切你想要的东西。世界上有这种奶酪吗？你们谁见过这种奶酪？我想要一块长生不老的奶酪，有么？我怎么得到它？像老鼠一样穿上跑鞋钻进迷宫？！我想要一块永葆青春的奶酪，有么？上哪里我可以返老还童？重新拥有青春的骄傲？不要跟我说整容，花足够多的钱我可以换一张比现在更美丽的脸，难道那就是青春的奶酪吗？我不认为有这样一种神奇的奶酪，如果有，它的名字不叫奶酪，而叫阿拉丁神灯。”

这时内森也放下酒杯，他的脸上显露出了忧郁之色：“我能理解安杰拉的感受，我们的确不是匆匆和嗅嗅，我们在获得新奶酪的同时也失去了很多东西。而且更重要的是，我们明白了奶酪和阿拉丁神灯的区别。我们可以找到奶酪，但是找不到一盏阿拉丁神灯。”

“迈克尔说奶酪可以是一切我们所希望的东

西——金钱、爱情、友谊、工作、健康、人际关系……，问题是当我们去寻找新的奶酪的时候，就意味着我们要放弃旧的奶酪，我们怎样放弃？我们是应该为了金钱去放弃爱情还是应该为工作去放弃友谊？我们可能同时拥有两种完全不同的奶酪么？但是，当我们一次一次像故事中的那两只老鼠一样，穿上跑鞋重新出发的时候，我们考虑过我们放弃的是什么了吗？还有，生活是不能重复的，我们一次次出发，但是我们找到新奶酪的成功几率实际上是一次次降低的，随着年龄的增大，我们的机会越来越少。关于这一点，迈克尔却什么都没有说，他只是简单地说——去找吧，去找新的奶酪，不要问你的奶酪被谁动过了，不要问凭什么动你的奶酪，你要做的事情就是当你发现奶酪没了，被人家动了，你应该像一只老鼠一样，二话不说立刻冲出大门找新的奶酪去。我不明白难道生命的意义就在于去不断地占有不断地攫取？而且对于生活中的任何不公正，我们应该像耗子一样逆来顺受不置可否？”

卡洛斯看看迈克尔又看看安杰拉，他显得有点尴尬。他红着脸结结巴巴地说：“不管怎样，我想应该感谢迈克尔，因为毕竟是因为他，我才

受到鼓舞，要不我想我不会找到今天的奶酪的。虽然，回忆起来，也有很多辛酸苦辣。想想吧，当年我去寻找奶酪的时候，发现其实所有的奶酪已经都是有名字的了，世界早已经不是哥伦布发现新大陆时的样子了，到处是没有被命名的处女地，有那么多新大陆等待着被哥伦布发现。我没有哥伦布那么幸运，我出发找我的奶酪的时候，发现所有的奶酪都已经被别人拥有了。如果我想要奶酪我就只有从别人手里抢，否则我一生要做的事情就是从一块小奶酪开始，费尽心血把这块小奶酪变成一块大奶酪，然后眼睁睁地看着别人拿走这块大奶酪，我自己换个地方重新开始，穿上跑鞋再去寻找自己的奶酪但是我永远不会真正拥有自己的奶酪……”

一直保持沉默的迈克尔这个时候打断了卡洛斯的话，他微笑着，笑得从容而有节制，显示了他很好的教养与风度。他说：“我在最近几年里也经常感到痛苦，以及那种高处不胜寒的寂寞。我想到有多少好朋友为了一块奶酪最后劳燕分飞，我想到我自己为了成功，为了能够有今天的幸福生活，究竟付出了多少代价，这些代价都值得吗？哪些奶酪是我真正喜欢的？哪些奶酪是别

人喜欢的而我自己并不喜欢？我在选择这块奶酪和放弃那块奶酪的时候，我究竟有没有丧失？这个丧失究竟值不值得？”

“后来，”迈克尔继续讲道，“我听到了一个故事，这个故事使一切都改变了。”

“此话怎讲？”

“因为这个故事改变了我患得患失的弱点，以及我对生活的看法。我想我们很多时候是盲目的，我们受欲望的驱使去追逐那些虚浮的东西，当那些东西追逐到手以后，无论那些东西是女人还是财富，我们会忽然发现生活中充满无聊。从那以后，我知道该如何做——无论是工作还是生活。”

“是什么故事这么神奇？”好几个人异口同声地问道。

“一开始，我被这个故事显而易见地简单给激怒了，它就像我们小时候听腻了的那些寓言故事一样。”

“后来我发现，其实我是被自己激怒了，我为自己不懂得这样简单明白的道理而感到愤怒！人生一世，最重要的是要明白自己的终极理想和终极价值观，生活的理想是一种信仰，她不应该

像女人衣橱里的时装一样，总是换来换去，旧的不去新的不来。人的一生是很短暂的，就像一块黏土一样，你可以用它来捏一个‘掷铁饼者’，很完美的艺术品；但是你不能同时用它再捏一个‘维纳斯’，这二者是不可兼得的，因为黏土只有一块。但是我们却执着地认为我们能做到，只要我们想做到就可以做到。这是没有任何意义的。”

“再后来，我把这个故事讲给许多和我一样苦恼的人，那些人又讲给其他人听。后来，我们当中就有一个人做了这个高尔夫俱乐部。与我的感受一样，许多人都说，这个故事使他们的个人生活大受裨益。”

“当然，也有人说他们从中没有得到什么，他们或者是知道这样的道理而且已经领教过多次了。或者，更普遍的是，他们觉得自己已经懂得够多，不需要再学习什么了。他们甚至假装看不到如此多的人正在从中受益。”

“我的一位在高尔夫俱乐部做事的高级主管就说，读这个故事只是浪费时间。然而大家都取笑他，把他比作故事中的一个角色——那是一个思想家，每天思考一些思考一万年也不会有答案

的哲学问题。”

安杰拉有些不耐烦了：“别卖关子了，这究竟是一个什么样的故事？”

“故事的名字叫作‘**我能动谁的奶酪**’，当然我们可以简单一点，叫《谁动了我的奶酪?》（二），这样能够保证故事的延续性。”

大家哄笑起来。卡洛斯说：“我想仅凭这个名字，我就已经喜欢上这个故事了。你能讲给我们听听吗？或许我们也会从中有所收获。”

“当然，”迈克尔答道，“我非常愿意把这个故事讲给你们听，它并不长。”于是，他开始给大家讲述这个故事。因为他们中有些同学没有听过前面一个故事，所以迈克尔给他们从头讲起。

“我能动谁的奶酪？”的故事

从前在一个遥远的地方，住着四个小家伙。为了填饱肚子和享受乐趣，他们每天在不远处的一座奇妙的迷宫里跑来跑去，在那里寻找一种叫做“奶酪”的黄橙橙、香喷喷的食物。

这四个家伙中有两个是老鼠，一个叫“嗅嗅”，另一个叫“匆匆”；另外两个家伙则是小矮人，和老鼠一般大小，但和人一个模样，而且他们的行为也和我们在座的诸位差不多。他们俩的名字一个叫“哼哼”，一个叫“唧唧”。

最开始他们四个家伙一起找到了一个奶酪C站，里面有很多很多的奶酪，像黄灿灿的金子一样让人看着高兴。他们那段时间过得舒适安逸并且受人尊重，他们经常开PARTY，盛大的宴会，带着朋友去参观他们的奶酪C站。但是，好景不长，这样的日子没有持续多久就结束了。有一天当这四个小家伙发现C站已经没有任何

奶酪的时候，那两只叫嗅嗅和匆匆的老鼠立刻穿上跑鞋就去寻找新的奶酪去了；但是另外两个小矮人却没有这样做，他们感到不可忍受，仿佛受到致命伤害。所以，他们经历了相当漫长的一段时光。在这段时光里，他们每天怀着希望到奶酪C站，然后再带着破碎的希望回到家里。他们反复问一个问题——谁动了我的奶酪，但是始终没有人回答。最后，两个小矮人中的一个，他的名字叫唧唧，他厌倦了这种悲伤而充满失败感的生活，于是他对哼哼发出了——“向两只老鼠学习”的号召。哼哼没有响应，**他不打算像老鼠一样过一辈子，他要思考，即使思考是痛苦的，而且可能是毫无结果的，但是作为小矮人，他认为自己有思考的责任，毕竟老鼠是没有脑子的，不能指望老鼠去思考人生的意义和价值。**老鼠们不会去想究竟是谁动了我的奶酪？他们凭什么可以动我的奶酪？谁给了他们这样的权利？老鼠毕竟是老鼠，他们的生活非常简单——拥有奶酪就是拥有幸福，拥有越多的奶酪就是越多的幸福，他们不会在乎得到奶酪的方式，因为他们是老鼠，他们可以偷可以抢，当然他们也不会感到失去奶酪有什么伤心的，作为老鼠的一生本来就是忙碌

的一生。他们总要去找奶酪，他们已经习惯了，他们把发现和拥有奶酪C站的事情看做是天上掉的馅饼，现在这块馅饼没了，他们认为这是再自然不过的事情，就像自然灾害一样自然。因此，他们几乎连多一分钟时间都没有耽搁，立刻拔脚离开奶酪C站。老鼠嘛，当然是哪里有奶酪就去哪里，他们做事是很简单的。

后来，唧唧感到必须走出奶酪C站，否则他就会疯了。于是他把哼哼一个人留在奶酪C站，自己开始在黑暗的迷宫里摸索。他中途曾经返回试图劝说哼哼跟他一起去寻找新的奶酪，但是都被哼哼拒绝了。最后，唧唧找到了奶酪N站，那里不但有比奶酪C站更多更好更新鲜的奶酪，而且令他感到愉快的是，在这里他和那两只叫嗅嗅和匆匆的老鼠汇合了。

然而，没有多久，唧唧就感觉出来那两只老鼠似乎并不欢迎他的到来。这使唧唧感到痛苦，后来他意识到，嗅嗅和匆匆这两只老鼠认为奶酪N站的所有奶酪都是他们发现的，而唧唧是后来的，所以这些奶酪不应该属于唧唧。

唧唧虽然没有哼哼那么善于思考，但是他毕竟是小矮人，他还是喜欢想一些事情的，尤其在

感到痛苦和伤心的时候。于是他在墙上写了一句格言：**拥有奶酪就等于拥有幸福吗？**唧唧想到自己刚刚到达奶酪 N 站的时候，当时他是多么激动啊！不只因为他见到了自己梦想中的奶酪，而且更重要的是他遇见了自己久未谋面的老鼠兄弟！过去他们曾经在奶酪 C 站度过那么美好的时光！然而，现在他却面临如此尴尬的境地。是安静地走开还是勇敢地留下来？唧唧想到很久以前在寻找奶酪 C 站时发生的事情，那次正是他第一个发现奶酪 C 站的！

他清楚的记得，那两个老鼠兄弟，嗅嗅和匆匆，总是运用最简单低效的反复尝试法去寻找奶酪——他们跑进一条走廊，如果走廊的房间都是空的，他们就返回来，再去另一条走廊搜寻。没有奶酪的走廊他们都会记住。就这样，他们从一个地方找到另一个地方。虽然嗅嗅可以用他那个了不起的鼻子嗅出奶酪的大致方向，但是由于迷宫太复杂太大，所以他们还是会经常迷路，有时甚至撞到墙上。唧唧甚至记得，有一次，匆匆由于跑在前面开路，跑得太急了，一头撞到墙角，鲜血迸流，如果不是由于唧唧和哼哼的帮助，估计早没有命了！

唧唧记得他当时和哼哼共同搞出了一套复杂的寻找奶酪的方法——他们从过去的经验中学习，运用思考的能力。这套方法使他们比那两只小老鼠要有效率得多，他们很少走进死胡同更没有发生过把自己撞晕的事情。

最后的最后，是在一天清晨，哼哼和唧唧运用他们的方法率先找到了奶酪 C 站——各式各样的奶酪，堆积如山，闪着诱人的光芒。唧唧惊呆了，他冲进奶酪 C 站，跑了一圈又一圈，举着手欢呼，和哼哼互相拍着手祝贺。这个时候，哼哼想起了那两个可怜的老鼠兄弟，于是就跟唧唧说：这里有这么多奶酪，足够我们一生一世享用不尽，为什么不让我们的老鼠兄弟来分享呢？

唧唧立刻赞同了哼哼的想法，他站在走廊里大喊着老鼠兄弟的名字，为了使他们的老鼠兄弟能准确快速地找到奶酪 C 站，唧唧还特意搬了一大块新鲜的奶酪放在门口，以便于嗅嗅能及时找到道路。

可是，现在嗅嗅和匆匆似乎都忘记了这些事情，他们每天摆着一张严肃的脸，话里话外暗示这些奶酪不属于唧唧。这使得唧唧感到寒心和失望，他想起从前，从前是多么美好！

当然，没有人会住在迷宫里，即使迷宫里有奶酪N站。那两只老鼠自从找到奶酪N站以后，就搬家了。他们买了一处更豪华的房子，复式结构，有英国管家的那种。他们不愿意再和以前的亲戚朋友住在一起，他们要建立一个新的圈子，在这个圈子里都是各种各样拥有奶酪的家伙。唧唧在找到奶酪N站以后，也决定搬家。他想来想去，最后决定搬到CBD社区，因为住在这种社区，离奶酪N站相对比较近，而且附属设施、物业管理都不错，环境也好。就在唧唧搬进新居不久，他接到一封正式的律师函，措辞严厉，强烈要求唧唧立刻离开奶酪N站，因为律师认为奶酪N站是属于嗅嗅和匆匆。

唧唧气得头昏眼花，他不知道怎样才能拥有自己的奶酪，他意识到如果他要和这两个昔日的兄弟对簿公堂的话，那么可能自己平静的一生就彻底毁灭了。而且他觉得即使那两只耗子得到了全部的奶酪，他们也不会有真正的幸福生活可言。也许有一天，他们将会为自己做的这件事情感到羞愧。让他们羞愧去吧，唧唧这么想着就穿好跑鞋并且在新居的墙上写下：**实际上奶酪没有你想像得那么重要，如果你把寻找奶酪当作生命**

中惟一有意义的事情，那么你的一生将彻底被奶酪毁掉；就在这个时候，一个做律师的小矮人正好路过，这个小矮人我们叫他“喁喁”。喁喁问清楚事情的来龙去脉以后，立刻跟唧唧说：**“没有人能夺走属于你的奶酪！”**于是，唧唧就听从喁喁的话，毅然决然打了官司，像所有的官司一样，这场官司也是旷日持久，而且中间充满了伤害污蔑诽谤以及无中生有。终于最后的最后，所有的人都感到坚持不下去了，于是他们达成和解——把奶酪N站分为5份，唧唧一份；喁喁一份；嗅嗅一份；匆匆一份；还有老鼠们的律师“蛛蛛”一份。

现在，唧唧成了一个孤独的小矮人，虽然他拥有了奶酪，这些奶酪使他再度成为一个受人尊重的人而且过上了让人羡慕的日子。每天都有无数的人等着和他认识，他说的每句话都有人认真聆听并且一传十十传百。他是一个有影响力的人。但是唧唧却仍然感觉到不快乐，因为他明白这一切都是因为他拥有奶酪——友谊、金钱、被人关注、奢侈的生活以及控制别人的思想……唧唧喜欢奶酪带来的这一切，所以他必须小心照顾自己的奶酪，而且要经常闻一闻自己的奶酪，以

!

实际上奶酪没有你想像得那么重要，如果你把寻找奶酪当作生命中惟一有意义的事情，那么你的一生将彻底被奶酪毁掉。

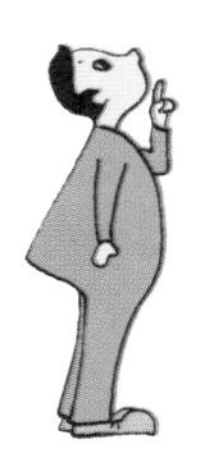

便知道她们什么时候开始变质。并且还要随时做好奶酪被拿走的准备，就像在奶酪 C 站发生的事情一样——一夜之间，就像从梦中醒来，所有的奶酪都不翼而飞。唧唧现在不能随便相信任何人，以前他以为奶酪在迷宫中存在就像他以为机会在命运中存在一样，对每个人都是平等的，只要你肯穿上跑鞋你一定能找到自己的那份奶酪。但是现在他知道事情不是这样的，**无论是奶酪还是机会，都不是那种可能随随便便碰到的东西，这些东西是每个人都想占为己有的东西，甚至专门有一些人做梦都想从别人手里抢走那些人家费尽千辛万苦得到的奶酪**。所以，唧唧必须时刻提高警惕保卫自己的奶酪。但是这样的生活，让唧唧感到厌倦，有一天，他早上起来，想到一会儿又要去奶酪 N 站做那些重复一千遍的事情时，忽然变得烦躁起来，他顺手写了一句话——**把每天都用来关注你的奶酪是否变质，你的生活将变得像设定好的程序一样枯燥乏味。**

但是，就在那天，唧唧快到奶酪 N 站的时候，正好看见匆匆穿着跑鞋从奶酪 N 站里跑出来，这是怎么回事？难道可怕的事情又发生了？奶酪 N 站又没有奶酪了？唧唧拦住迎面跑过来

!

把每天都用来关注你的奶酪是否变质，你的生活将变得像设定好的程序一样枯燥乏味。

的匆匆。匆匆告诉他："我的奶酪被人动了，你的还在，好好看着，警惕那个叫'喁喁'的律师，他是一个喜欢动别人奶酪的人。"

"但是，这不公平，奶酪是你的，凭什么他要动？再说他自己也有自己的奶酪？为什么还要动你的呢？"

"也许他需要更多的奶酪，反正他跟我说不要问谁动了你的奶酪，即使没有人动你的奶酪，你的奶酪也是会变质的。如果你不改变，你就会被淘汰。越早放弃旧的奶酪，你就会越早享用到新的奶酪。要随着奶酪的变化而变化。"

"你觉得他说的对？"

"有道理，至少他在拿走我奶酪的时候是这么告诉我的，而且他还送了我一本书——《谁动了我的奶酪？》"

"为什么他不把书留着自己读？无耻！"唧唧替匆匆感到巨大的不公平，但是匆匆却很平静，他对唧唧说："记得你过去在寻找奶酪的时候，是怎么激励自己的？你曾经说过：'如果你无所畏惧，你会怎样做呢？'"

于是唧唧回想起他面对空空如也的奶酪C站的那些日子，那些日子他曾经多么痛苦啊——他如果你无所畏惧，你会怎样做呢？

如果你无所畏惧，你就一定能找到新的奶酪吗？

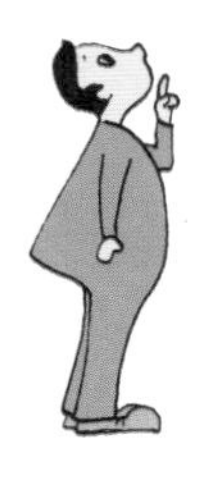

和哼哼在奶酪C站互相舔着伤口，他们每天都失望一千次，都悲愤一万遍，有几次唧唧想到离开奶酪C站，去寻找新的奶酪，但是终于因为害怕迷宫里的复杂情况而作罢，最后他决定摆脱一切恐惧，于是他出发了，并且经过漫长的寻找，幸运地找到了奶酪N站。是呀，如果无所畏惧会怎么样呢？

这个时候，唧唧发现匆匆已经走远了，望着匆匆远去的背影，唧唧犹豫着在墙上写下一句话：**如果你无所畏惧，你就一定能找到新的奶酪吗？**

那天唧唧进入奶酪N站的时候，他感到这里飘着一种奶酪轻微变质的味道。唧唧心情复杂地经过原先属于匆匆的那部分奶酪，现在这部分奶酪已经全部被搬到了“喁喁”那边，而且全部写上了“喁喁”的名字，在一整面奶酪墙上，上面歪歪扭扭地写着：朝新的方向前进，你会发现新的奶酪。

唧唧忽然意识到这句话有多么大的欺骗性。因为他找过奶酪，在黑暗的迷宫中，找奶酪的过程充满着各种危险，他亲眼见到许多人在找奶酪的路上发疯发狂以及悲惨地死去。他甚至记得和

他一同到达奶酪N站的另一个小矮人，只惊呼了一声：“我的天啊，我成功了，我找到奶酪了——！”然后，他倒了下去，而且永远没有站起来。

于是，唧唧走到那面现在属于“喁喁”的奶酪墙，把上面的话改成：**朝新的方向前进，实际上意味着两个完全相反的可能性——一个是你会发现新的奶酪，而另一个是你将失去一切，一无所有！**

唧唧做完这件事情，正好“喁喁”走出来。他脸上是成功者的笑容，奶酪似的笑容。他看上去肥胖，完全像一整块雄心勃勃的奶酪。他对唧唧说：“唧唧，**这个世界上有两种拥有奶酪的方式，一种是像你们过去做的那样去找奶酪，你们花费了巨大的心血，终于找到了奶酪，并且在短时间内拥有了奶酪带给你们的生活变化；还有一种是像我这样，我从来不会亲自冒险到黑暗的迷宫里找奶酪，**那是拿自己的生命去冒险，就像你说的一样，获得成功的几率是一半对一半。**我获得奶酪的方法就是用我的头脑，我会想办法占有别人的奶酪，**这种方法就像抢劫一样，效率高而且收效迅速明显。所不同的是抢劫不合法，但是

朝新的方向前进，你会发现新的奶酪。×

朝新的方向前进，实际上意味着两个完全相反的可能性——一个是你会发现新的奶酪，而另一个是你将失去一切，一无所有！√

我学过法律，我懂得合法地抢劫，我甚至还懂得修改现有的规则，使它变得更适合我动别人的奶酪。”

“那么，你打算什么时候动我的奶酪？”

“我们可以谈谈。”

“如果我们不谈呢？”

“即使我们不谈，你的奶酪也会变质。你愿意空气中充满变质的奶酪味道？想想吧，奶酪对于你的生活有多重要，你是否可以放弃他们？你的豪华别墅，你的闪闪发光的车子，还有你的奶酪朋友！奶酪是你的健康、你的事业、你的财富，将来奶酪还会是你的爱情你所渴望的一切！”

“去死吧，祝愿你被成堆成堆的奶酪活埋！”

“谢谢。”

喁喁是一个奶酪狂，他懂得奶酪对于他的意义。在没有奶酪的时候，他是一个小人物，和所有的小矮人一样，每天在街上跑来跑去，偶尔转到迷宫来看看有什么机会能找到一块幸福的大奶酪，但是没有，他的运气只停留在捡点细碎的奶酪屑。如果不是因为他遇到了那场让他获得奶酪的官司，他现在怎么可能有那么好的律师楼？有无数的小矮人替他忙碌，他什么也不用做，他需

要的就是制定出更有利于他的游戏规则，他要依靠游戏规则获得奶酪。

在遭到唧唧的拒绝以后，喁喁找到嗅嗅，他对嗅嗅说：“我们的奶酪正在变质，必须想办法去找新的奶酪。你是愿意在奶酪全部变质之后再出发呢还是现在就想办法？”

嗅嗅是一只鼻子很灵的老鼠，他听了喁喁的话以后，立刻四下闻了闻，的确，奶酪没有以前那么新鲜了。

喁喁一直在观察嗅嗅的表情，当他确定了嗅嗅在犹豫之后，他对嗅嗅说：“当然，我们不用像以前你和匆匆那样去找新的奶酪，那种方式把握性小而风险性大。”

“那么我们怎么找呢？”

“我们可以用我们现在有的这些奶酪去找一些老鼠和小矮人来，让他们替我们去找，我们给他们一些我们不需要的奶酪，就是这些正在变质的奶酪，和他们签定协议，如果他们找到新鲜的奶酪，那么全部归我们共同所有。按照协议，我们可以随便动他们的奶酪，无论是我们给他们的不新鲜的奶酪还是他们自己找到的新鲜的奶酪。”

嗅嗅怀疑这个方法是否奏效，谁会愿意替别

人找奶酪而且还心甘情愿地让别人动自己的奶酪呢？后来事实证明嗅嗅的担心是多余的。

在不久以后的一个清晨，当唧唧照例来到奶酪 N 站的时候，他发现了许许多多的小耗子和小矮人。他们集中在奶酪 N 站的广场前，在他们的面前是用奶酪搭起来的台子，整个台子像灿烂的阳光一样，让人感觉温暖和希望。嗅嗅和嘿嘿携手站在台子上，他们对下面的小耗子和小矮人说：“难道你们不想获得你们生命中属于自己的奶酪吗？难道你们没有想过只要拥有一小块奶酪就可以使你们的生活改变一大块吗？你们想拥有你们的事业、爱人、金钱、友谊吗?！那么去吧，去寻找奶酪吧，记住，你们不是在为我们寻找奶酪,你们是在为自己！以后你们每找来一块奶酪，你们就把它放到这个台子上，直到有一天，你们会看到因为你们的努力，这个台子成为一个伟大的奇观！这就是奶酪台！你们愿意为建立一座高耸入云的奶酪台而贡献自己的力量吗？你们愿意加入到我们建立奶酪台的伟大事业中去吗？”

“愿意！”排山倒海般的呼声。

唧唧抓住几个身边的小矮人：“你们这是要去做什么？”

“我们要为建立奶酪台而去寻找奶酪！”

“为谁建奶酪台？建好了以后属于谁？”

“当然是为我们自己建，建好了之后当然是属于我们了。”

“那么你们知道去找奶酪有多么危险吗？”

“当你超越了自己的恐惧时，你就会感到轻松自在。这是一个找到奶酪的前辈写在奶酪墙上的一句话。我们不怕危险，最大的敌人是自己。”一个小矮人充满激情的说。

唧唧突然感到痛苦万分，是的，那句话他怎么会不熟悉，那正是他自己当年写下的。于是那天下午，唧唧一个人走到那面奶酪墙上，他把那句话改成：**当你自以为超越了恐惧时，正是真正的恐惧开始降临的时候。**

从那天开始，唧唧每天都能看见奶酪 N 站的变化，奶酪台在一天一天增高，同时他也感觉到和那些每天都在增高的奶酪台相比，他自己的奶酪正变得可有可无，而且有一天，居然有一批小老鼠公然到他的奶酪仓库去搬奶酪，被唧唧当场制止：“你们为什么动我的奶酪？这些奶酪上都刻着我的名字，这是我当年经过漫长的寻找，几乎死在半路，用生命才换来的财富，而且为了

当你超越了自己的恐惧时，你就会感到轻松自在。×

我们不怕危险，最大的敌人是自己。

当你自以为超越了恐惧时，正是真正的恐惧开始降临的时候。√

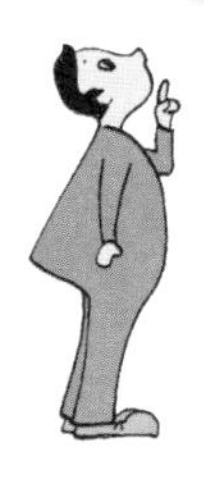

合法的拥有这些奶酪，我甚至打了一场耗时已久使自己筋疲力尽的官司，你们凭什么来动我的奶酪？”

那些老鼠中的一个，早有准备地拿出一本书，书名叫《谁动了我的奶酪？》。老鼠把书丢给唧唧，唧唧随手把书撕得粉碎：“滚，你们这群强盗，你们这群没有头脑弱智的家伙！你们以为你们在为自己建立一座奶酪台吗？你们是在为那个叫嗎嗎的野心家和那个叫嗅嗅的阴谋老鼠建立一座他们的奶酪台。不久你们就会发现你们还是一无所有！到别处找你们的奶酪去，立刻离开这里！ASAP！知道什么意思吗？就是 AS SOON AS POSSIBLE！”

唧唧看着那些老鼠鬼鬼祟祟地离开，悲伤地在墙上写了一句话：**我能动谁的奶酪**？然后，他长时间地望着这句话，他发现这句话像他自己一样悲伤。

于是，他回忆起很多年以前，那个时候还有哼哼，他们刚刚找到奶酪的时候，他们认为奶酪可以是一切，但是**他现在发现生活中除了奶酪还应该有别的东西，甚至有很多东西是无法用奶酪去换取的。比如说当你把富有的生活当作奶酪去**

谁动了我的奶酪?

我能动谁的奶酪?

追逐的时候，你就必须放弃很多其他的东西，比如与嗅嗅和匆匆的友谊；而当你把友谊当作奶酪去珍惜的时候，你就必须在金钱上有所损失。就像人不能两次踏进同一条河流一样，人也不能同时去拥有两种奶酪。那么到底什么才是我需要的奶酪呢？我是否应该全部放弃我现在的这些正在变质的奶酪去寻找新的奶酪？

那天接近黄昏的时候，唧唧看到了蛛蛛，她脚上穿着跑鞋。唧唧问她："嗨，蛛蛛，你要去哪儿？"

"我要去找新的奶酪。"

"为什么？你的旧奶酪发生什么问题了吗？"

"是的，今天下午来了一群老鼠，他们给我看了他们新找到的奶酪，那些奶酪真是又大又好，我问他们上哪里可以找到这些最新的奶酪，他们说只要把我的旧奶酪全都给他们，他们就告诉我新奶酪在哪里。"

"现在你知道新奶酪在哪里了？"

"是的，在一个遥远的地方，但是我决定去找。我相信自己一定能够找到。"

"如果你找不到新奶酪，又失去了旧奶酪，

你不会后悔吗？”

“为什么要后悔？与那些新鲜奶酪相比，这些旧奶酪简直让人恶心！”

“万一那些奶酪在你找到之前被别人找到了并且占有了，你怎么办？”

“我会想办法夺过来的！我不会让我苦苦追求的东西平白无故地跑掉。”

蛛蛛坚定地说，她在跑开之前，看到唧唧写在奶酪墙上的那句悲伤的话，立刻批评唧唧——你这样想是不对的。**为什么别人不能动你的奶酪？这个世界上的奶酪应该属于强者。如果我看见别人的奶酪比我的好，比我的诱人，我就一定要动。**

蛛蛛信手在唧唧写的那句话下面写上：“在我找到新的奶酪之前，想像我正在享受奶酪，这会使我膨胀得像个热气球。”

写完之后，蛛蛛轻快地跑了，留下唧唧一个人。他在想是不是应该去找更大更好更新鲜的奶酪去。他一边想一边在墙上写出自己的思考：**假如生活不是奶酪，是玉米棒子，我能捡一个丢一个吗？那么最后我找了半天，留在我手里的是什么？假如生活是一口井，我能挖两下就换一个地**

！

为什么别人不能动你的奶酪？这个世界上的奶酪应该属于强者。如果我看见别人的奶酪比我的好，比我的诱人，我就一定要动。

方再挖吗？那样的话我最后可能挖出一口真正的甜水井吗？假如我不去动别人的奶酪，那么别人会不动我的奶酪吗？假如我去动别人的奶酪，我和强盗有什么区别？到底什么叫成功？到底什么叫拥有奶酪？人人都想要的奶酪是我想要的吗？

现在奶酪N站已经筑起了一个巨大的像金字塔一样的奶酪台，而且奶酪台的阶梯也像天梯一样，一层一层完全是用最新鲜的奶酪做成的。所有的人都在赞美着奶酪台，嗅嗅和嗎嗎这两个合伙人每天都在接受着各种各样的恭维，甚至在奶酪N站，四处耸立着用新鲜奶酪雕塑的两个人的雕像。奶酪N站还有一个变化，就是挤满了各种各样渴望奶酪的人，他们总是找到嗅嗅和嗎嗎，请求加入到寻找奶酪的伟大事业中去。嗅嗅和嗎嗎总是同意他们的请求，并且每过一段时间，就毫不留情地开除一些矮人和耗子，开除的理由很简单——他们找到的新奶酪比他们用掉的旧奶酪要多。这些矮人和耗子只好叹口气，带着他们积攒下的不多的奶酪离开迷宫，找一处地方住下来。偶尔回忆过去，他们会认为自己过了有意义的一生，因为他们参与了建立奶酪台的伟大事业。有的矮人和耗子在生儿育女之后，会对自

!

假如生活不是奶酪，是玉米棒子，我能捡一个丢一个吗？那么最后我找了半天，留在我手里的是什么？

假如生活是一口井，我能挖两下就换一个地方再挖吗？那样的话我最后可能挖出一口真正的甜水井吗？

假如我不去动别人的奶酪，那么别人会不动我的奶酪吗？假如我去动别人的奶酪，我和强盗有什么区别？到底什么叫成功？到底什么叫拥有奶酪？人人都想要的奶酪是我想要的吗？

!

己的儿女说：去吧，到奶酪 N 站去继续我们的事业吧!

喁喁是一个发明家，他研究了那些矮人和耗子的心理，发明了一整套能够有效刺激他们寻找到新奶酪的激励机制，他对嗅嗅说：“一定要让那些最有能力为我们找到奶酪的人浑身有使不完的劲，夜以继日地为我们找奶酪。我们要给他们信心，给他们奖励，让他们觉得自己是成功者，这样他们就会努力地找奶酪，而不会考虑自己这样做是否值得。否则他们容易被唧唧这样的人蛊惑。要让他们觉得那些被我们炒掉的人，是由于他们自己不优秀，而不是我们不道德，我们没有过河拆桥,是他们自己不能适应变化被淘汰了。”

嗅嗅立刻同意了喁喁的说法，而且他还有一个设想，就是建立一个学院，叫奶酪学院，在这个学院里要讲授各种有关找奶酪的技巧，要有各种成功案例。而且最重要的是，可以通过授课建立一个同一的奶酪价值观。那就是——拥有奶酪为荣，失去奶酪为耻；以找到奶酪为荣，以找不到奶酪为耻。这种教学将以流水线速度培养一大批高效率的找奶酪机器人。喁喁是个有头脑的小矮人，他激动地幻想着这个奶酪学院的前景，他

说："对呀，如果我们拥有一大批具有同一奶酪价值观的追随者，我们将因为是奶酪的拥有者，而自然而然地成为他们的精神领袖。我们说的每一句话都会成为他们的讲义，我们做过的每一件事都会成为他们效仿的榜样。"

在奶酪学院成立不久，奶酪 N 站不仅以更快地速度堆满了各种各样最新鲜的奶酪，而且还来了一群一群有着远大的奶酪理想的年轻老鼠和年轻矮人。他们中最优秀的，将在毕业以后留在奶酪 N 站,不优秀的则被嗅嗅和喁喁驱逐出去。

唧唧的奶酪和嗅嗅与喁喁的相比，简直太寒酸了。现在的奶酪 N 站，到处是高楼大厦，全部用奶酪做外墙装饰，所有的街道都铺满黄澄澄的奶酪，而且在奶酪台前，还有一个用世界上最昂贵的奶酪铺成的奶酪广场和奶酪星光大道。唧唧经常在充满奶酪味道的奶酪 N 站里散步，甜奶酪酸奶酪，像蜂窝状的瑞士奶酪、美国奶酪、鲜黄的英国切达干酪、意大利奶酪、还有美妙而柔软的法国卡米伯特奶酪……他感觉自己迷失在这些奶酪的气息之中，他在想难道这些就是我想要的奶酪吗？他开始想念哼哼了，想念和哼哼在以前的日子，甚至那些充满悲伤和失望的日子。

奶酪可能是一切吗？奶酪可能是失去的时光吗？奶酪可能让时光倒流吗？

唧唧在一个下午路过奶酪学院的时候，遇到了这个著名商学院的名誉院长嗎嗎。嗎嗎友好而且礼貌地向唧唧问好，并且对唧唧说："你现在是否后悔当初对我的拒绝？你看你拒绝掉的是什么？"

唧唧说："我没有后悔，看看你现在过的生活，你简直和一只耗子对生活的要求没有什么两样。"

嗎嗎宽厚地笑了："你不要嘲笑嗅嗅，他虽然是一只耗子，但是他对生活的理解简单并且正确。**生活是什么？生活就是迷宫；成功是什么？成功就是找到奶酪；幸福是什么？幸福就是用奶酪建立起自己的生活**！奶酪使得一切都成为现实，爱情、友谊、财富、地位、权力……在我们的奶酪学院里，这一切都是可以计算出来的。多少奶酪能换得多少爱情，都是可以量化的。"

"你说的那不是爱情，是女人。"

"不，我说的是爱情。你可以用我们奶酪学院教授的方法获得你想获得的任何东西，包括爱情。"

奶酪可能是一切吗？奶酪可能是失去的时光吗？奶酪可能让时光倒流吗？

！

!

生活是什么？生活就是迷宫；成功是什么？成功就是找到奶酪；幸福是什么？幸福就是用奶酪建立起自己的生活！

“我见过你们的讲义，在我看来不过是无耻+谎言，而且目的只有一个，就是实现你和嗅嗅的阴谋，使你们能合情合理地占有别人的奶酪！”

“那是你的看法，但是对于我们的学生来说，他们花高昂的学费来学习，听我们关于奶酪的见解，掌握和找到奶酪有关的技巧，他们认为这是值得的事情。他们为自己能找到奶酪而骄傲，他们的奶酪就是建立在为我们找奶酪的基础之上的。”

“当然了，当他们耗尽一生发现自己不过活得像一只老鼠一样，他们也许会认为自己有多么地不值得，但那时他们已经老得说不出话来了。你们的奶酪学院不过是为你们培养具有共同价值观的机器耗子，这些耗子认为生命的惟一乐趣就是去找奶酪，而且是为老板去找奶酪。你们告诉这些耗子，一个称职的职业经理人应该做的事情就是疯狂地为老板寻找奶酪，找得越多越称职；一个优秀的职业经理人的目标就是在为老板找到奶酪的同时也找到自己的奶酪；你们还告诉他们一个有自尊心的职业经理人应该能够接受被老板随意拿走自己找到的奶酪，而且永远准备穿上跑

鞋去黑暗的迷宫深处去找新的奶酪，或者到那些拥有奶酪的人手里把他们的奶酪成功地抢走！”

嘿嘿看着唧唧越说越激动，他保持着平静。他最后对唧唧说：“面对现实吧，你有两个选择，一个选择是和我合伙，建立一个统一的奶酪世界。现在你还来得及，你和我合伙以后，我可以送你到我们的奶酪学院免费培训半年，使你成为一个奶酪管理高手；第二个选择是守着你的那堆烂奶酪，我们的奶酪耗子很快就要动你的那堆烂奶酪了，你会变得一无所有的。到那个时候，你就会明白，**人其实应该像耗子一样活着，生活目的简单，价值观惟一，说一千道一万就是——一切为了奶酪！”**

唧唧的愤怒变得无以复加，他一把揪过嘿嘿，对嘿嘿说：“你不要忘记了，你的第一块奶酪是谁给你的！我真的后悔一件事情，为什么我要请你为我打那场官司？！那时我真是鬼迷心窍！”

“你还会后悔更多。顺便纠正一句，你那时不是鬼迷心窍，是财迷心窍。”

唧唧现在越来越不喜欢去奶酪 N 站了，奶酪 N 站里的耗子越来越多，而小矮人越来越

少。不过小矮人虽然少，但他们一般都比耗子更加成功，在找奶酪这件事情上，当然也比耗子更加让人讨厌。因为耗子不会四处做演讲，但是小矮人会，他们到处告诉人们他们是多么优秀的奶酪人才，而且是奶酪高级人才。唧唧在想也许他真的应该去寻找一块新的奶酪了。可是，他去哪里找新的奶酪呢？他在几天前碰到过一次匆匆，匆匆绕了一大圈又回到奶酪 N 站，他的鞋已经破了，而且看上去疲惫不堪。唧唧看到他的时候，他正躲在一个角落里偷偷地吃一点奶酪屑。唧唧问他："你没有找到新的奶酪吗？"

匆匆说："过去我总以为只要去找就一定能找到新的奶酪。"

"现在呢？"

"现在我发现，**年龄和新奶酪之间的关系是反比关系，年龄越大找到新奶酪的几率越小，而被人拿走奶酪的几率越大。**"

"那么你还去找奶酪吗？"

"去找。"

"如果还被拿走怎么办呢？"

"那么就再去找。"

"你为什么不去找嗝嗝，和他翻当年的旧

！

年龄和新奶酪之间的关系是反比关系，年龄越大找到新奶酪的几率越小，而被人拿走奶酪的几率越大。

帐，他凭什么要动你的奶酪？”

匆匆不理解地看着唧唧，说到底老鼠就是老鼠，幸福的老鼠像嗅嗅，拥有吃也吃不完的奶酪；不幸的老鼠像匆匆，总在寻找奶酪，一次又一次，而且把寻找奶酪当作是生活，把寻找奶酪的痛苦看作是生命中必须忍受的事情，把找到碎奶酪的乐趣当作生活的赏赐。现在即使是得到一点奶酪渣，匆匆都会高兴很多天，他就是这么一种性格，做一只老鼠可怜吗？做一只老鼠幸福吗？唧唧想，幸福和可怜也许就是一个硬币的两面，看你从哪面看。你可以认为匆匆可怜，当他为一点奶酪皮而高兴的时候，但你也可以认为他很幸福，因为他享受到了奶酪给他的甜蜜。

唧唧问匆匆遇到过曾经替他们打过官司的蛛蛛没有。匆匆说遇到过，她正在和一群其他的耗子努力争夺一块像山一样大的奶酪。

“那么你为什么不去抢呢？”

“他们就是从我手中抢走的。”

“匆匆，问你一个问题，在迷宫中搜寻和停留在没有奶酪的地方，哪一个更安全？”

“这么深奥的问题你怎么能问我？我从来不想这些问题，我只想明天的奶酪在哪里？我必须

不停地去找新的奶酪，因为我不像你还有一大堆奶酪存着。虽然说这些奶酪也正在变质而且也有可能被人拿走，但是毕竟寻找新的奶酪对于你不是那么迫在眉睫的事情，所以你才会去思考这些只有人才会思考的问题，确切地说只有蠢人才会思考的问题。我看嘀嘀就从来不想这些问题，他每天想的都是有用的问题。”

“什么问题叫有用的问题？”

“比如说**我怎么才能够拿走别人的奶酪？**”

匆匆走了，直到他走出很远，唧唧还在思考匆匆说的问题。是的，有价值的问题——**我怎么才能够拿走别人的奶酪。**

唧唧决心要拿走嗝嗝的奶酪，他认真地想，应该怎么办！

这个时候，唧唧看见了一只老鼠——蛛蛛。

显然蛛蛛并没有找到什么新的奶酪，她咬牙切齿地走在那些用她过去的旧奶酪铺成的街道上，这是一处偏僻的街，正好适合搞阴谋诡计。

唧唧问蛛蛛：“新奶酪找到了？”

蛛蛛说：“找到了，当时我和好多耗子抢，抢到最后，我好不容易才把那块新奶酪抢到了，但是发现口味不对，根本不是我喜欢的味道。”

“你喜欢嗅嗅的奶酪吗？”

“当然喜欢。”

“喜欢为什么不抢过来？”

“怎么抢呢？”

唧唧很高兴，他觉得蛛蛛真是再合适的帮手不过了，因为她是一只老鼠，老鼠的价值观是简单的，只要是获得奶酪就是成功，成功与手段是没有关系的。

于是唧唧就跟蛛蛛说：**“你为什么要自己去寻找奶酪而不想办法把自己变成一块又香又甜的大奶酪让别人来找你呢？”**

蛛蛛虽然是只弱智的老鼠，但是她领会唧唧的意图很快。唧唧告诉她：“嗅嗅有了这么多奶酪，但是他还缺一块大奶酪，那就是爱情。去吧，你就是他的那块梦中的爱情奶酪。”

经过唧唧的包装，蛛蛛迅速变成一块对老鼠来说极有吸引力的大奶酪，当她招摇地在奶酪星光大街上风摆杨柳地走过的时候，整个奶酪广场上都挤满了人群。这么多年，奶酪N站的人致力于疯狂地寻找奶酪，或者到奶酪学院进修MBA课程，完全忘记了爱情这么回事。嗅嗅也注意到了蛛蛛，他想蛛蛛应该是他生命中最美好

的一块奶酪了！

用奶酪做成的蛛蛛和嗅嗅的婚纱塑像立在奶酪N站的各个路口，这件事情让喁喁不高兴了，他认为嗅嗅在浪费奶酪，虽然他们已经有了无数的奶酪，但是喁喁仍然认为嗅嗅不应该浪费奶酪。接着发生了让喁喁更加不高兴的事情，嗅嗅认为应该让蛛蛛与他们共享所有的奶酪，这是喁喁所不能容忍的。后来嗅嗅对喁喁说："将来你有了女朋友，未婚妻，我也会同意让她加入董事会的。"这样喁喁就让步了。不过，没有等到喁喁带来那个未来的董事会成员，他就不得不离开奶酪N站了。

事情的过程很简单，老鼠做事都是这样。那是非常普通的一天，例行的董事会结束之后，嗅嗅对起身准备离去的喁喁说："现在是你去寻找新的奶酪的时候了。我和蛛蛛商量过了，这是董事会的决定。无论你是否同意，因为我们是两票，你最多是一票，所以结论是董事会多数票同意你去找新的奶酪。在程序上这个动议没有任何问题，完全符合你制定的规则，当然，你现在想改游戏规则已经来不及了。"

"但是，尊敬的嗅嗅老鼠，为什么要我去找

新的奶酪？为什么不是你？何况我们实际上不需要找新的奶酪，现在的奶酪足够我们再盖一个纽约世贸大厦！”

“值得尊敬的嗎嗎先生，我们指的是不包括你在内的我和蛛蛛，我们不需要去找新的奶酪，但是你需要，因为你已经没有奶酪了。我们动了你的奶酪，不要忘了，你经常说的一句话，你在奶酪学院是怎么鼓舞那些年轻的老鼠的？你说——变化总是发生，他们总是不断地拿走你的奶酪；你还说要预见变化，随时做好奶酪被拿走的准备，还有尽快适应改变，随着奶酪的变化而变化；以及享受变化，尝试冒险，去享受新奶酪的美味！你还记得你每次演讲的结束语吗？你说：‘记住：他们仍会不断地拿走你的奶酪。做好迅速变化的准备，不断地去享受变化！’”

嗎嗎完全被激怒了，他疯狂地上街，见到什么砸什么。但这有什么用呢？他给奶酪学院的讲义添了一个失败的案例——陈旧的信念不会帮助你找到新的奶酪。不改变你就会被淘汰。

这两个案例现在由唧唧讲给学生听，其实他心里知道这根本不是观念是否陈旧和是否愿意接受改变的问题。难道嗎嗎穿上跑鞋像当年的匆匆

一样离开奶酪 N 站就一定能在不久的未来找到一堆黄澄澄的奶酪吗？当然，悲剧的根源在于喁喁毕竟是人，而不是老鼠，如果他肯像一只老鼠一样的活着，那么岂不是很容易做到“没有痛苦没有烦恼”？

当然蛛蛛是不喜欢嗅嗅的，她喜欢的是嗅嗅的奶酪。所以在一天早上，嗅嗅起床的时候，发现房间里空空如也，他竟然躺在地板上，幸亏地板也是奶酪做的，还比较柔软舒适。嗅嗅看着正要离开的蛛蛛，问道：“亲爱的，为什么房间里什么东西都没有了？如果你要换新家具应该先和我说一声。”

蛛蛛妩媚地笑了，她说：“亲爱的嗅嗅，难道你不懂得一个道理——**越早放弃旧的奶酪，你就会越早发现新的奶酪？**”

嗅嗅说：“你的意思是我是一块旧奶酪？”

蛛蛛说：“我还会有其他的意思吗？”

嗅嗅说：“蛛蛛，你不能这样，我把所有的奶酪都送给了你，你是我在这个世界惟一的一块奶酪了。”

蛛蛛格格地笑了，笑声听起来很残酷：“我已经有了你所有的奶酪，为什么还要你呢？你现

在对于我来说只是一块旧奶酪。我知道你想说什么，你想像人一样说‘无耻’，可是记住在我们老鼠的世界里，是没有‘无耻’这个词的！不要再和我说我是你这个世界上惟一的奶酪了吧！即使真的像你说的那样，那么我只好说：对不起，你的这块奶酪被动了，你去找新的奶酪吧！”

“我上哪儿去找新的奶酪？”

“那是你的事情不是我的事情。这里有一本书，你可以看看，学习学习，记住：在迷宫中搜寻比停留在没有奶酪的地方更安全。”

嗅嗅接过蛛蛛丢过来的书，他知道这是一本什么书，这是他过去用来推卸责任的一本书，现在蛛蛛用了同样的方法卸掉了本来她本来应该属于她的内疚。

在那天黄昏的时候，人们看见了嗅嗅，他肥胖的身体挤在一件以前穿过的运动衣里，脚上穿的也是那双多年前穿过的跑鞋，他垂着头，跑过这个铺满奶酪的大街。这个地方到处是奶酪，但是没有一块是他的。嗅嗅离开了奶酪 N 站，在他走之后，所有他的塑像全部消失了，蛛蛛用那些奶酪做了许多垃圾筒，她说要建立一个环保的奶酪 N 站。

蛛蛛对唧唧说："以前，我曾经喜欢过一只耗子，他的名字叫匆匆，但是正当我打算让他明白我的心意的时候，他却变得一无所有。我当时在想，如果我嫁给他，那么我将一辈子受苦，而且我不知道他能不能找到新的奶酪。如果他找不到新的奶酪，还要我去给他找奶酪，我找的每块奶酪都要分他一半，我觉得这太可怕了。后来我受到诱惑，以为迷宫里到处是更好更新鲜的奶酪，于是我放弃了所有的旧奶酪打算去找新的奶酪，对于我来说，爱情从来不是我的奶酪。可是我后来在迷宫里走错了路，在我饿得头晕眼花的时候，突然发现很多耗子再争夺一块小山一样大的奶酪，我立刻加入到其中，最后我才发现我是从我暗恋过的匆匆嘴里抢夺奶酪。所以当那块奶酪被我抢到以后，我发现它特别苦涩，根本不是我喜欢的味道。"

唧唧安静地听完蛛蛛的话，他对蛛蛛说："你是一只老鼠，不要像人一样复杂，老鼠就是要为奶酪而战，无论作战的另一方是谁。还有，你是一只老鼠，你要像老鼠一样生活，不要像人一样患得患失有那么多是非判断标准，善恶道德标准。你要明白，奶酪 N 站就是为你这样的老

鼠准备的，残酷无情不择手段。记住，对于老鼠来说，奶酪是惟一的，失去奶酪就是失去一切，拥有奶酪就是拥有一切。老鼠的一生就是忙忙碌碌地寻找奶酪的一生，一只老鼠是否成功地度过自己的一生和他找到的奶酪的绝对值成正比。当然这些找到的奶酪中有一部分会被拿走，剩余的奶酪的多少决定一只老鼠的幸福程度。从这个角度讲，蛛蛛你是最幸福也是最成功的，虽然没有人跟你分享你的奶酪，但是你是一只老鼠，你介意这些事情吗？奶酪就是奶酪，它可能是友谊、爱情、财富、地位、权力、健康……，**但是不能同时是这些东西。奶酪是爱情的时候就不是权力，是财富的时候就不是友谊，这是很简单的事情，作为人会经常为此感到痛苦，因为他总幻想着奶酪是一块魔方，今天转出爱情，明天转出财富，后天转出友谊，这是不可能的。你在寻找爱情奶酪的时候，你可能就会失去财富奶酪，**人受不了这件事情，但是老鼠没有关系。蛛蛛，奶酪的世界是你的世界，做一只幸福而成功的老鼠吧，我要走了。”

唧唧说完这些话，头也不回地离开了奶酪 N 站，他要去寻找哼哼，他忽然明白经过这么多

年，当他终于拥有了无数的奶酪的时候，他终于明白他是一个人，他的一生不能像老鼠一样活着，为了奶酪活着。

他沿着当年的路，向记忆深处的奶酪C站走去。一路上，他看到自己过去留在墙上的思考："尽早注意细小的变化，这将有助于你适应即将来临的更大的变化。"

他笑了，在后面加上一行醒目的大字：**假如你打算谨小慎微惶惶不可终日琐碎而平庸地度过你的一生。**

接下来是："当你发现你会找到新的奶酪并且能够享用她时，你就会改变你的路线。"唧唧想了一阵，他在这句话后面也加了一句话：**但是，你是否确定新的奶酪是你真正想要的奶酪？**

绕过一面墙，他看见了嗝嗝，他几乎认不出嗝嗝了，嗝嗝完全疯了。他反复念着墙上的话："陈旧的信念不会帮助你找到新的奶酪。"他见到唧唧，他根本记不得唧唧了，他一把拉住唧唧：**"你能告诉我什么样的信念能找到新的奶酪？是不是我找到奶酪我的信念就是新的，找不到奶酪我的信念就是旧的？什么叫新什么叫旧？难道信念不应该是那种坚定的永不改变的东西**

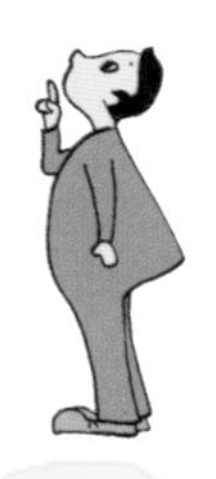

尽早注意细小的变化，这将有助于你适应即将来临的更大的变化。×

假如你打算谨小慎微惶惶不可终日琐碎而平庸地度过你的一生。√

当你发现你会找到新的奶酪并且能够享用她时，你就会改变你的路线。

但是，你是否确定新的奶酪是你真正想要的奶酪？

吗？像奶酪一样容易变质的信念那叫信念吗？为什么现代的人赞成像奶酪一样的信念？还说要随着奶酪的变化而更新信念？”

唧唧什么也没有说，他只是默默地在墙上写下一句自己新的思考：“不要让你的信念像奶酪一样容易变质。信念是比奶酪更重要的东西，不要为了奶酪而忘记自己的信念。”

再转过去几面墙以后，唧唧看到了匆匆，匆匆面前的墙上写着：“在迷宫中搜寻比停留在没有奶酪的地方更安全。”

匆匆认出了唧唧，他看上去虽然没有找到什么像样的奶酪，但是他的状态不错。他老远地就跟唧唧打着招呼，对唧唧说：“你看墙上的字，我记得你以前问过我在迷宫中搜寻比停留在没有奶酪的地方，哪一种情况更加安全？”

唧唧说：“对，这是我以前的思考，我以前对事物的看法比较绝对，我认为要么搜寻更安全要么停在原地更安全，现在我不这么看问题了。”

“现在你认为这个世界上没有绝对的安全和绝对的不安全，对不对？”

“对，这个问题就像**在沙漠中迷路，是去找水更有希望，还是留在原地等人来救更安全？其**

陈旧的信念不会帮助你找到新的奶酪。×

不要让你的信念像奶酪一样容易变质。信念是比奶酪更重要的东西，不要为了奶酪而忘记自己的信念。√

实几率是一半对一半，并且这一半之中还有运气在里面。”

匆匆急急忙忙地打断唧唧，他说：“你可以把你的思考写在墙上，我还要赶紧找我的奶酪，要知道我家里还有一个小匆匆，他在等我带奶酪回去呢。”

匆匆走了，唧唧微笑起来。是的，匆匆已经习惯了这样每天去找新的奶酪的生活，尽管艰苦，但是再艰苦的事情，只要习以为常也就没有问题了。唧唧一个人在这面墙前面站了一会，最后在这句话后面加上了三个字：“不一定”。

唧唧接着往前走，这一次他遇到了嗅嗅。嗅嗅看上去比匆匆要落魄得多，不过看得出来他刚刚吃过奶酪，因为他的胡子上有奶酪屑。嗅嗅看见唧唧，招呼唧唧过去，他从怀里掏出一小块发硬的瑞士奶酪，对唧唧说：“尝尝。”

唧唧心头一酸，他想起当他们拥有奶酪 N 站的时候，他们为了那些永生永世都吃不完的奶酪打官司，可是现在只有这么一小块发硬的奶酪，嗅嗅居然肯分给他一半！

唧唧抬起头看天，他不愿意让嗅嗅看到他眼睛里的东西。嗅嗅说：“你嫌弃呀？你不要以为

在迷宫中搜寻比停留在没有奶酪的地方更安全。×

在沙漠中迷路，是去找水更有希望，还是留在原地等人来救更安全？其实几率是一半对一半，并且这一半之中还有运气在里面。√

满地都有奶酪，你也不要以为你一次成功地找到奶酪，你就能次次都找到！”

唧唧连忙说：“不不，我是在读对面墙上的字。”

嗅嗅鼻子灵，但是眼睛不好。他说：“你告诉我对面墙上写的是什么？”

“越早放弃旧的奶酪，你就会越早发现新的奶酪。”

“是呀，是呀，问题是运气不好的时候，旧的奶酪没了，新的也没有找到；更多的时候，是新奶酪其实还不如旧奶酪呢！奶酪和女人差不多，女人都会老，奶酪都会馊。你总以为新奶酪比旧奶酪更好，其实未必。唧唧，你去帮我在那句话后面加几个字，好不好？”

唧唧说好。嗅嗅要加的那几个字是这样的：但愿你找到的新奶酪不是一块馊的！

嗅嗅满意地看着对面的那堵墙，他对唧唧说：“你知道我以前拥有很多很多奶酪，后来我为了一块馊奶酪失去了我全部的奶酪！我真傻啊！”

那天嗅嗅和唧唧一起分享了那块发硬的奶酪，他们唱起歌沉浸在过去的好时光之中。后

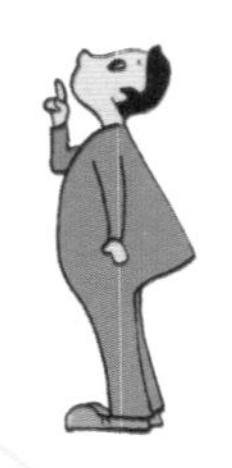

越早放弃旧的奶酪，你就会越早发现新的奶酪。×

你不要以为满地都有奶酪，你也不要以为你一次成功地找到奶酪，你就能次次都找到！√

来，嗅嗅对唧唧谈起了匆匆，他说：“我和匆匆过去是朋友，后来他失去了所有的奶酪，而我和他的敌人成了合伙人！”

唧唧安慰了嗅嗅，他说他可以理解这些事情，并且他告诉嗅嗅，其实匆匆就在不远处。嗅嗅立刻露出兴奋的神情。他问唧唧：“我和匆匆还能像以前一样共同寻找奶酪么？他跑在前面，我用鼻子为他指引方向？”唧唧说：“我想应该可以吧，在老鼠的世界里，为了共同的奶酪有什么不可能的呢？有永远的朋友吗？没有！有永远的敌人吗？也没有，只有永远的奶酪！”

嗅嗅高兴地站起来，他向唧唧道别去找匆匆去了。他们还会像以前那样成为亲密无间的搭档吗？唧唧一路想着这个问题，在抬头的时候，他发现自己已经到了奶酪 C 站。唧唧几乎认不出奶酪 C 站了，看上去，奶酪 C 站就像一个正在上课的高等学府。在他们原来写有“拥有奶酪就拥有幸福”的墙壁上，现在写着：

拥有奶酪就拥有幸福

拥有奶酪就等于拥有幸福吗?

拥有奶酪就等于拥有幸福吗?

实际上奶酪没有你想像得那么重要。

如果你把寻找奶酪当作生命中惟一有意义的事情，那么你的一生将彻底被奶酪毁掉

唧唧知道这是哼哼写的。他拔脚走进奶酪 C 站，这里的一切静悄悄的，有一些衣着得体举止优雅的小矮人在里面看书，有非常少的老鼠偶尔走来走去，这里的一切和奶酪 N 站的完全相反，奶酪 N 站满街都是钻来钻去的老鼠，只有很少的小矮人走来走去。而且奶酪 N 站浮华喧嚣，但是这里却安静朴素。

在奶酪 C 站，有一整面奶酪做成的墙，完全可以看出这面墙是后来做的，是人们从其他地方搬来奶酪特意制作的。上面是哼哼的字体：

奶酪墙上的废话

变化总是在发生

究竟是谁在不断地拿走你的奶酪？

预见变化

注意那些伸向你的奶酪的黑手。

追踪变化

让你的奶酪去变质吧

而不是你自己和奶酪一起变质

尽快适应变化

不要一看到别人的新奶酪就立刻决定放弃自己的旧奶酪

思考一下那块新奶酪是不是你真正需要的和喜欢的

改变

信念比奶酪更重要
不要为一块奶酪而改变
对生活的信念

享受变化

当你放弃关于奶酪的想法时
你发现自己走出了迷宫

做好迅速变化的准备

不断地去享受变化

记住：成功的人总是不断地拿走别人的奶酪，失败的人总是不断地被别人拿走奶酪

记住：警惕那些随时准备拿走你的奶酪的人并且警告他们：别动我的奶酪；做好准备一有机会就拿走别人的奶酪并且理直气壮地跟他们说：去寻找新的奶酪吧。

世界上的奶酪是无穷的，你是否决定把你有限的生命投入到无限的寻找奶酪的事业中去？

在这面巨大的奶酪墙后面，唧唧见到了哼哼，他坐在一张巨大而舒适的奶酪扶手椅上，面前是一张宽大的奶酪书桌。唧唧说：“嗨，哼哼，你是怎么找到你的奶酪的？”

哼哼抬起头来，他笑了：“你走了以后，我一直在思索，我想得非常苦，很多次，我几乎放弃了，我认为我的思考毫无意义，我为什么不去找新的奶酪呢？”后来我见到许多和我一样痛苦的小矮人，他们都曾经拥有过奶酪，至少他们自己认为是这样的，但是他们不明白为什么他们就那么轻易地失去了他们生命中很重要的一部分？”

“后来我明白了，这是我的责任，我要想明白这个问题，究竟是谁动了我的奶酪？他凭什么动我的奶酪？因为这个问题不想清楚，那么你早晚会失去你所有的奶酪的。我还一直在思考的另一个问题是，奶酪对于我们真的那么重要吗？像

我们以前理解的那样，它是财富是友谊是爱情是一切我们认为最美好的事物？后来我想我们理解错了，**奶酪可以是财富是友谊是爱情，但是它不能同时是所有的这些东西，世界上没有这么一种奶酪，当你拥有它的时候，你就拥有了整个世界。奶酪实际上是我们的欲望，这些欲望有些是我们真实需要的，有些并不是我们真正需要的。**我们总是认为别人的奶酪比我们的好，所以我们总是要扔掉自己的奶酪去动别人的奶酪，这都是欲望。**欲望无所谓好无所谓坏，但是欲望和欲望之间是矛盾的，因为欲望是非理性的，欲望可以是渴望友谊，但欲望同时可以是渴望财富，当两个欲望打架的时候，人就会感到痛苦，**是为友谊而牺牲唾手可得的财富还是为财富而牺牲多年以来的友谊？但是如果人能像老鼠一样低等就不会有这些苦恼了，老鼠的欲望是形而下的，老鼠不会渴望友谊，老鼠的欲望就是一块奶酪接着一块奶酪，这些奶酪都代表贪婪而不会代表其他只有人才会渴望的东西比如说情感和精神。当然也有些人像老鼠一样生活，他们为了奶酪而自我奋斗，伸手拿别人的奶酪就像从自己的钱包里往外拿钱那样自然；老鼠里也有一些沾染了人的追求

的，这些老鼠一般就会失去他们的一切，这是因为他们有了人的理想。”

“我听了你这么一大通，还是没有明白你到底是怎样才拥有了自己的奶酪？”

“这是因为我想通透了，我想通透之后就把这些想法写下来，并且到处去讲，于是人们认为我是思想家，他们自发地来听我的课，并且给我建了一堵奶酪墙。我想我的生活就是我的奶酪，而大多数的人是把自己的欲望当作奶酪了。这是我和大多数人的区别。”

“哼哼，我想告诉你，我找到过很多很多奶酪，但是我依然不快乐，我不知道为什么？我每天都害怕被别人拿走我的奶酪，而且我知道随着我的年龄增的，我找到新奶酪的机会将越来越少，你说我该怎么办？”

哼哼微笑起来，他说：“**我选择生活，生活中一切美好的事物都会成为我的奶酪，我不担心别人拿走我的奶酪，因为我的奶酪是我的思想，思想是可以拷贝的，不会因为你拿走我的思想，我就一无所有了；但是，很多人选择欲望，于是一切被欲望渴望的东西就会成为他的奶酪，奶酪越多，欲望越大，而欲望和欲望是矛盾的，欲望的奶酪是**

不可以拷贝的，有你没有我，有我没有你。所以当你追求的是欲望的奶酪时，你只能提防着别人拿走你的奶酪，并且还要想办法趁人不备或者趁人之危拿走别人的奶酪。尽管别人的奶酪可能你并不需要或者不适合你的口味，但是你还是要照拿不误，因为你只有这样做，才能使自己成为一个受人尊重的人，在欲望的世界获得权利和地位。”

“你的意思是欲望不好？”

“我不是这个意思。我的意思是当你选择欲望的奶酪的时候，你必须做好终身为之奋斗的准备。比较一下你生活的世界吧，那些由欲望的奶酪建成的世界，到处是金子一样的颜色，宽阔的街道摩天的建筑，空气中飘满奶酪的味道；看看我的世界，我的奶酪只有一张书桌一张扶手椅，外面的奶酪墙属于所有生活在这里的人，我们享受内心的平静，那是因为我们放弃了欲望，这意味着我们同时放弃了欲望可能给我们带来的大喜大悲大富大贵，我们在品尝思想的快乐，一个内心宁静有道德理想的人的快乐。”

唧唧走到阳光下，他在想他应该生活在哪个世界，是哼哼的奶酪 C 站还是蛛蛛的奶酪 N 站？或许他应该再去寻找新的奶酪？建立一个自

己的世界？那么那个世界是什么样子的呢？唧唧想不出来——或许是每人一块奶酪，平均分配谁也不许动其他人的？如果是那样，还有人会有积极性去寻找新的奶酪吗？如果没有人寻找新的奶酪，那么这种平均分配怎么可能持续下去呢？

后来，唧唧把自己的矛盾说给哼哼，他请哼哼给他出一个主意，他应该怎么做。哼哼听了以后问唧唧："你知道什么叫贪婪吗？"

唧唧说："知道，贪婪就是没有够！"

哼哼说："贪婪就是像你这样什么都想占着。你喜欢欲望满足的那种感觉又拒绝满足欲望后的空虚，你希望像我一样充实而平静地生活，但是又受不了这样生活的寂寞。这就是贪婪。在这个世界上，没有十全十美的事情，就像没有不变质的奶酪一样，但是你却希望得到一块永恒的奶酪，这是不可能的。你不能一半是老鼠一半是人。"

唧唧望着哼哼，他说："你真的成了一个思想家了！"

哼哼说："我顺便问你，什么叫虚伪？"

唧唧说："虚伪就是不真诚。"

哼哼说："不对，虚伪不是不真诚，**虚伪是真诚地只告诉你一个错误的答案，高级一点的虚**

伪是真诚地告诉你一个正确答案的一半。比如说虚伪的奶酪理论会告诉你说：他们总是不断地拿走你的奶酪，所以要随时做好奶酪被拿走的准备。他们从不告诉你为什么那些人可以拿走你的奶酪，而且是不断地拿走！而你除了被动地做好奶酪被拿走的准备以外，不应该有任何抱怨。你必须速度最快的穿上跑鞋投入到寻找新奶酪的事业中去，而不是去思索这个问题，你一旦思索了，你就是错误的！这种理论就叫虚伪！我要做的事情就是揭露这种虚伪的理论，这种充满无耻和谎言的奶酪理论；而你和蛛蛛的奶酪N站就是用这种理论去开坛授课，为你们培养出无数的机器老鼠，他们除了认奶酪什么也不认！这是我们两种生活的差异。我们是两个世界的人，当然早晚有一天，蛛蛛会用成箱的奶酪来埋葬我的思想，我等着那一天，看是我的思想击穿她的奶酪，还是她的奶酪击穿我的思想。”

“或许，你的思想能和她的奶酪结合出一块新的奶酪呢？”唧唧说！

“但愿如此。”

唧唧离开了哼哼，他这一次会去寻找蛛蛛吗？还是寻找新的奶酪？

奶酪究竟意味着什么?
找到奶酪是否就意味着找到幸福?

什么是自己真正想要的奶酪?
什么是属于别人的奶酪?

为什么我们总是认为别人的奶酪比我们的大?
为什么别人总是想动我们的奶酪?

当我们的奶酪被无情地拿走,
我们是应该战斗还是应该立即出发
像只动作敏捷的弱智老鼠一样启程去寻找新的奶酪?

世界上究竟有多少种奶酪?
我们可能拥有这个世界上所有的奶酪吗?

当我们离开这个尘世的时候
那些可爱的奶酪将会给我们什么安慰?

唧唧在奶酪C站仅有的一面奶酪墙上留下自己的思考，之后他走了。

他还会回来吗？
他去哪里了？
结局……
或者是新的开始

讨　论

同一天傍晚，故事讲完以后的讨论

迈克尔讲完他的故事以后，环顾四周，发现他的老同学都在微笑着倾听。

有几个人站起身来向他表示感谢，说他们从故事中得到了很多启发。

还是内森，他带头提议："一会儿我们聚在一起讨论一下这个故事，你们觉得怎么样？"

大多数人都表示他们的确很想谈一谈自己的感受。于是，他们决定先去喝点什么，再吃晚餐，然后再一起讨论这个故事。

当天晚上，他们聚集在高尔夫俱乐部的乡间别墅里，相互开着玩笑说，他们看见他们自己在迷宫中寻找自己的奶酪，并且建立起了自己的奶酪N站。

安杰拉要大家安静下来，并询问到："在找到奶酪之后，你们觉得自己是这故事中的谁？嗅

嗅还是匆匆？哼哼或是唧唧？要不是蛛蛛或者喁喁？”

卡洛斯第一个回答说：“呵，整个下午我都在考虑这个问题。在我找到我的奶酪N站以后，我曾经遇到过一次和唧唧一样的遭遇，当时我的合伙人认为大部分的钱应该属于他，而不是属于我。我感到很痛苦。不过，所不一样的是，我的合伙人曾经在我最艰难的时候帮助过我，所以这使得我感到两难。我必须做出选择，要么，我放弃对于拿回那些钱的想法，要么，我和他对簿公堂。最后我选择了后者。我拿回了我的钱，但是我失去了这个合伙人，他曾经是我的救命恩人。这件事情一直让我感到内疚。后来还有很多次这样的事情，比如说公司业务不景气，我把许多跟随我多年的员工全部裁掉了，我对他们说去找新的奶酪吧，这里没有你们的奶酪了。我记得我曾经看见过一张忧伤的面孔，那是一个老人，一个有自尊心的老人，他为我的公司工作了大半辈子，但是前两天却被我辞退了。没有什么理由，就是因为我们要节约办公开支，最近这段时间运动器材的生意不好做。他走的那天，特意到我的办公室去对我说：‘卡洛斯，祝你好运。过

去我一直把这个地方当作我的奶酪，现在我知道它不是了，我要去找新的奶酪去了。我还有老婆还有孩子，所以我要去为他们找新的奶酪，但是我会告诉我的孩子们，希望他们将来不要像他们的父亲那样，总是把别人的奶酪误认为是自己的奶酪，总是为别人去找奶酪。卡洛斯，记住，我为你找过奶酪，你的奶酪里有一小块是我给你找来的。’当时我很难过，几乎想撤销关于裁员的决定，但是最后我坚持了，我目送着那个老人蹒跚而去，眼中充满泪水。我不是老鼠，我做不到像老鼠一样一切为了奶酪。”

迈克尔微笑着说：“你尽管眼中充满泪水但是你最后原谅自己了，你认为他的痛苦并不是由你造成的，而且与你的奶酪相比，你的合伙人也好还是一个为你工作了大半辈子的老人也好，都是微不足道的。”

“是的，我必须拿走他们的奶酪，否则我的奶酪就会消失。我每一分钟都在防止这种可怕的事情发生。”

刚开始的时候，有几位同学一直没有参加讨论，现在听了卡洛斯和迈克尔的话也都开始了议论。首先是弗兰克，他现在是这个高尔夫球俱乐

部的董事长。

“嗅嗅使我想起了我的一个朋友”，他说：“所有迹象都表明他爱上的那个女人是冲着他的财产去的，但是他不相信这件事情。他任由自己的女人在他的公司里胡乱指挥，所有的公司高层都无法忍受，相继辞职，可是他依然无动于衷。他认为爱情是这个世界上最值得追求的东西，公司可以关闭，钱财可以失去，但是爱情是不能没有的。后来那个女人把公司的全部财产都悄悄地转移了，然后突然有一天，这个女人离开了他。他几乎无法面对这件事情，整个办公楼空空如也，帐面上一分钱没有，相反，信箱里倒是塞满了帐单。他的事业毁于一旦。”

杰西卡经营着一个网站，她是这个网站的CEO。她说：“我过去虽然有过几次被别人拿走奶酪的经历，但是我没有感到害怕过，甚至有几次是我主动放弃了旧奶酪。因为我那时年轻，而且我受过很好的教育，再说我总是能找到我的新奶酪，虽然有的时候比原来的要小一点差一点。但是我最近突然感到有些害怕，我真的害怕像匆匆那样，突然有一天，一个人走过来对我说：‘你的公司被我们并购了，去找你的新奶酪去

吧’。我现在已经人到中年了，有孩子有拖累，不找奶酪是肯定不行的，可是要找新的奶酪谈何容易。我不可能再跑得像年轻时那样轻快了。”

除了内森，所有的人都笑了。

“也许，这就是关键之处，”内森说，“我们每个人在别人眼里都是一个成功的人士，我们有一个巨大的奶酪，但是我们所有的人都担心有一天这个奶酪被拿走。毕竟我们已经不年轻了，我们很难再重新到迷宫里再去找一个大奶酪回来。**而且我们清楚地知道，我们之所以现在成为名流成为成功人士，很大程度上并不是因为我们放弃了过去的奶酪，而是因为我们成功地动了别人的奶酪。”**

他补充道：“我真希望我的家人以前就听到过这个故事。我希望我的弟弟能够理解我的做法，我一点都不希望和他反目，但是我知道如果按照他的做法，那么我们的家族就会失去现在的这块奶酪，那是几年前我们卖了房子卖了所有值钱的东西保住的一份产业！”

“发生了什么事？”杰西卡急于问个究竟。

“你知道我的弟弟就像那个故事中最初的唧唧一样，我要与一个的大公司联手一起做大市

场，但是我的弟弟却不同意，他认为那个大公司实际上是想垄断，他对人家说我们根本不想谈。知道不想谈意味着什么吗？不想谈就意味着他们会和别的公司联手挤垮我们。就像故事中的嗎嗎和嗅嗅联手一样，那样唧唧的日子就会不好过。我真的不愿意将我自己的亲弟弟从这个家族企业中清理出去，可是如果不这样做，我就没有办法保住我们的奶酪。那是凝聚着我们多少年心血的奶酪！”

“你已经这样做了？

“对，我已经这样做了。我解除了他所有的职务，然后对他说：‘朝新的方向前进，你会发现新的奶酪。’我看着他摔坏一件古董，然后走出门去。我终于明白，我失去的是什么！**我得到的是奶酪，失去的还是奶酪。**我得到这块奶酪是我们的家族企业，我失去的这块奶酪是我们的兄弟情意。我没有办法同时保住两块奶酪，这是没有办法的事情。”

劳拉已经是一位很成功的商人，到现在为止，她很少说话，一直在聆听。“这个下午，我也一直在思考这件事情，”这时她说：“我不知道怎样做才会更像哼哼，能够保持内心平静。我

一直在想把一切事情做得更好，可是为了生意，我不愿意丢掉自己现在拥有的奶酪，我们的奶酪都是我们多年艰苦奋斗得来的，谁会轻易放弃呢？所以我在遇到困难的时候，**我想我做过嗯嗯，赶走匆匆并且占有他的奶酪；我想我也做过蛛蛛，把自己变成一块大奶酪让别人上当受骗。”**

沉默了一会儿。劳拉继续说：“我想知道，我们这里有多少人没有做过一件亏心事？”见没有人回答，于是她又提议：“请举手示意。”

只有一个人举了手。“很好，看起来，我们之中总算还有一个诚实的人！”她说，并继续道：“也许你们更愿意回答下一个问题。**有多少人为了保住自己的奶酪而动过别人的奶酪？”**这一次几乎每个人都举了手。见此情景，大伙都大笑起来。

“刚才的现象说明了什么？”

“我们都不愿意丢掉自己的奶酪，而宁肯去动别人的奶酪。”内森回答。

“确实是这样，”迈克尔表示赞同，“有时候，连我们自己也没有意识到我们之所以去动别人的奶酪，是为了保住自己的奶酪。我第一次听

到刚才的这个故事的时候，特别喜欢它的名字：‘我能动谁的奶酪’。我想作为一个追求成功的人，我就是应该去拿别人的奶酪并且提醒那些觊觎我的奶酪的人——我不喜欢别人动我的奶酪！”

杰西卡接口道：“我从这个故事中得到的启示是，没有人愿意是那个永远穿着跑鞋去找奶酪的家伙，但是这个世界总要有些家伙是终日找奶酪的，而有些人是像嗎嗎和嗅嗅他们开始的那样，他们让别的人替他们找奶酪，这样他们的奶酪就容易越来越多。这就是我为什么要做网站的CEO，我想拥有自己的奶酪，让别的家伙替我去找奶酪，可是我现在却慢慢地有一些担心。”

“你是担心他们找不到奶酪？”

“不，我是担心在有了很多奶酪以后，我会不会像嗎嗎一样，我知道很多网站都是这样，在马上就要上市的时候，撤换掉一大批高层，这叫重新洗牌。如果我像嗎嗎一样被洗掉，我会接受得了吗？我怎样才能避免这样的结局？是像唧唧最后做的那样，搞些阴谋诡计？还是索性放弃这一切，过像哼哼一样的平静的生活？”

“想想吧，我们中的多数人平常就像嗎嗎一

样，我们因为机遇，碰巧建立了一个奶酪N站，然后我们就把人生的机遇当作是上帝对我们的喜欢，我们以天才自居，以成功人士自居，到处抛头露脸大出风头，做各种各样关于成材的演讲，而且我们还制定各种游戏规则以方便我们随时动我们的下属的奶酪，我们甚至不用费事送他们一本什么《谁动了我的奶酪》，我们直截了当地告诉他们就可以了。但是难道我们就一点都不担心有一双看不见的手在伸向我们的奶酪吗？过去，在我们年轻的时候，我们无所谓，但是现在如果我们失去了命运的宠爱，遭遇到被动了奶酪的事情，难道我们会认为这是一个机会，一个让我们重新寻找奶酪的机会吗？**人生到底有多少个奶酪等着我们？我们是不是只要一出门就可以在地上捡一个大奶酪回来？**我们如果不像故事中的蛛蛛那样，我们怎么才能占有更多的奶酪并且心安理得地享受由这些奶酪带来的附加值？”

“今天我在这里是CEO，明天我可能就什么都不是。今天我让别人去找新的奶酪，明天就可能是别人让我去找新的奶酪，真见鬼！就是因为每个人都渴望着自己的奶酪多一点再多一点，所以所有的人都希望其他的人穿上跑鞋去找奶酪，

而把现成的奶酪让给自己。想想吧，我们这些不找奶酪的人，我们是多么喜欢无病呻吟地说一些便宜话，我们害怕别人动我们的奶酪，我们渴望动别人的奶酪，但是我们却说；‘越早放弃旧的奶酪，你就会越早发现新的奶酪’；‘在迷宫中搜寻比停留在没有奶酪的地方安全’；既然这样，为什么我们要拿走别人的奶酪？为什么我们自己不到迷宫里搜寻？我们被别人拿走奶酪，还要自欺欺人地骗自己骗人家——奶酪本来就是会被不断地拿走的！应该去找新的奶酪，找好多好多新奶酪，让那些喜欢动人家奶酪的人拿都拿不完！”

“这真是一个迷宫的时代！”卡洛斯忽然叫道。大家都笑起来，杰西卡也笑了。

卡洛斯转向杰西卡说道：“你已经可以坦然地嘲笑你自己，这很好啊！”

弗兰克附和说：“这也是我从故事中得到的体会，我们常常感到痛苦是因为我们太贪婪。我们不能像哼哼那样对待自己的欲望，**我们把自己的欲望当作理想一样看待，结果我们为了实现欲望就做了很多似乎是我们不得不做的事情**。比如说唧唧，他最初不想打官司，后来听了嗎嗎的

话，打了官司；他最初不想和嗎嗎他们同流合污，但是最后为了保住自己的奶酪，于是他想出了一个卑鄙的策略。我想我们很多人都很像唧唧，与自己的欲望做搏斗，但最后我们的欲望战胜了我们的道德理想，难怪他的名字要叫唧唧。”

大家都模仿这个词，发出哼哼唧唧的声音。

安杰拉问大家：“你们认为哼哼真的觉得幸福吗？他会觉得自己比唧唧幸福吗？”

依莱恩说：“我想他会的。”

“我认为不会”，SUMMIT 建筑装饰工程公司的董事长柯瑞说：“像哼哼这样的人我见过多了，他们最初像唧唧一样，他们渴望奶酪，渴望世俗生活。他们认为他们自己是天才，天生具备拥有自己的奶酪的资格和权利，甚至他们认为这是人权的一部分，是天赋的。所以当他们的奶酪被拿走的时候，他们就要质疑社会，**他们会说：‘凭什么拿走我的奶酪？’他们从来就不会想：‘凭什么不能拿走你的奶酪呢？’这个世界本来就是强者生存。成功者拥有奶酪，失败者失去奶酪，强者用奶酪构筑自己梦想中的辉煌，弱者为了完成强者的梦想而不辞劳苦地去寻找奶酪。**这样世界才会繁荣起来，有活力。我喜欢奶酪 N

站的生活，那种生活可以激发起一个人对奶酪的渴望，我不喜欢生活在奶酪C站，和一个除了思想什么都不会的哼哼在一起，每天思考一些思考一万年也不会有答案的哲学问题！”

这时，内森轻轻地，好像自言自语般地说道：“我觉得，真正的问题是，到底什么才是我们真正想要的奶酪?”

好一会儿，大家都不说话。

“我必须承认，”内森说：“当我和我弟弟为了经营模式而发生争执的时候，我就在想究竟什么才是我真正想要的奶酪?奶酪可以是一切，可以是我的家族企业也可以是我的兄弟感情，但是我到那一刻才意识到奶酪不可以同时是这两样东西，我必须找出我真正想要的那块奶酪。然后将我们不要的那块奶酪切掉。”

“你的意思是……”弗兰克问。

内森回答说：“**我的意思是说在我们动别人的奶酪时，实际上我们也很难做到一点损失都没有**。毕竟我们是人，不是老鼠，如果对于老鼠来说，动物的天性就是弱肉强食，动别人的奶酪是天经地义的事情，但是我们人做起来却很痛苦。我到现在也不知道当时那样做值不值得，会不会

因为我拿走了他的奶酪，而从此使我的弟弟改变了对生活的态度，一蹶不振？”

劳拉说：“也许这就是后来唧唧写在墙上的那句话的意思——拥有奶酪就一定拥有幸福吗？”

弗兰克说：“我现在意识到，如果要获得成功实际上不是靠不停地去寻找新的奶酪，而是要靠不停地拿别人的奶酪。那些不停地为别人找奶酪的人，他们是在靠运气，运气好的话，他们自己能在这些过程中攒下一些零零星星的奶酪，运气不好的话，那么他们在能找奶酪的时候拼命地给人家找，等到找不动的时候，他们就只好等着人家来动他们的奶酪了！”

“噢，迈克尔，这真是一个有意义的小故事。”斯特普集团公司财务总监理查德博士说，他一直是一个怀疑论者，“但是，我们究竟应该怎样生活呢？”

老同学中有些人知道，理查德自己的生活正在经历某些变化。最近他和第二任妻子又离婚了，他感觉到受到巨大伤害。他的妻子在离开家门的时候，嘲弄地对他说：“你现在可以去找一块比我更好的奶酪了！”但是理查德不想再去找

什么该死的奶酪了，他至今依然热爱他的妻子，他认为他的妻子之所以离开他，是因为他长期以来一直忽略了她的感受。

他曾经给他的妻子讲过《谁动了我的奶酪》的故事，当时他的意图本来是想说明如果他不努力工作，那么很可能他们的奶酪就会被动了。因为他们的奶酪是他们的房子车子信用卡，但是理查德的妻子却不这么想问题。她的想法是世界上有无穷多的奶酪，你不能得到所有的奶酪。那么什么奶酪是排在第一位的？她要理查德做出选择，要么爱她，好好地爱她，把她当作一块大奶酪；要么去追逐事业的成功，把事业当作一块更大的大奶酪。理查德以为她在开玩笑，在理查德看来，奶酪是任何事情，既是爱情也是事业。现在理查德承认自己错了，他得到了事业这块奶酪，但是他失去了自己的妻子。

迈克尔回答说："你知道吗？以前我也常常感到痛苦，因为生活中的奶酪太多，每样我都想要，结果我经常为了这块奶酪而丢掉那块奶酪，这使我万分痛苦。后来，我停下来，好好地想明白了一件事情——我不可能拥有全部的奶酪，我只可能拥有其中的一小部分，而且这一小部分还

不能是互相串味的。这样思考过后，我就不痛苦了。而且很容易作出正确的选择。”

“在想明白这件事情之前，我和大多数拥有奶酪的人一样痛苦。因为我们的怀里已经挤满了奶酪，我们再也没有地方搁新的奶酪了，这个时候，我们看见一块新的奶酪，要还是不要？有的时候，就为了一块新奶酪，结果一弯腰，新奶酪没有捡起来，怀里的奶酪倒是扔了一地！就像故事中的蛛蛛曾经做的那样，为了梦想中遥远地方的新奶酪，结果白白浪费了自己很多时间，并且走了很多弯路。”

“我明白你的意思，你是想说在我们有了奶酪以后，我们总是在看别人的奶酪，我们总是在想是不是应该扔掉自己手里的旧奶酪去找一块新奶酪，或者干脆认为别人怀里的奶酪是你最想要的，结果像蛛蛛一样，当她从匆匆嘴里抢到奶酪以后，她发现那个味道并不是自己喜欢的。”劳拉说。

“确实如此。”迈克尔说：“后来，当我听到‘别动我的奶酪’的故事后，我认识到我的工作是描绘一幅‘新奶酪’图景——让我自己心里清楚哪些新奶酪是我要的，哪些不是我要的，哪

些是我暂时不急着要的。同时，我还让我公司的员工都清楚这幅图，他们中很多人一天到晚的就是离开我的公司，去为别人找奶酪！我要做的是告诉他们别的地方没有你们的奶酪，你们好好地给我干，给我寻找奶酪，找得最多最好的人，我会给他股份，让他拥有自己的奶酪，这样，我终于享受到了成功的喜悦。到了年终的时候，我们公司的员工给我找到了一个巨大的奶酪！我想我最成功的一点就是告诉他们没有人会动你们的奶酪，只要你们踏踏实实给我干！”

内森问迈克尔一个问题：“你身边有喁喁，蛛蛛，哼哼，唧唧和匆匆，嗅嗅吗？”

“是的，”迈克尔说：“这些人里面最需要警惕的是蛛蛛和喁喁。蛛蛛经常把自己打扮成一个巨大无比香甜可口的大奶酪，而实际上却是一个大陷阱；喁喁不同，喁喁的占有欲比较强，和喁喁这样的人做敌人，最后的结果如果不是两败俱伤那么就一定是你死我活，没有中间状态。但是如果和这样的人做生意伙伴，那么则可能一荣俱荣共同致富，因为他基本上是一个讲商业规则的人。哼哼，做个朋友还可以，做生意不行，企业不需要思想家来添乱；唧唧像我们所有的人一

样，既有欲望，又有道德感，这样的人在成功以后你很难把握他，因为他好起来会比菩萨还好，如果欲望膨胀起来，又可能会做出最不可思议的事情。至于匆匆和嗅嗅，他们是两只老鼠，老鼠比较容易接受现实，而且神经比较坚强，他们面对失败有很强的心理承受力，他们可以一次一次出发去找新的奶酪，而且为了奶酪，他们可以做任何事情。所以我认为他们是最好的职业经理人。”

理查德揶揄道：**“老鼠是最好的职业经理人，他们会把找奶酪当作自己的使命，把自己的奶酪被拿走当做家常便饭。”**

迈克尔笑了：“你说得对，**如果人要想做成功人士，必须从老鼠做起，我们这儿的每个人难道不是这样取得成功的吗？只有老鼠才会在被人拿走奶酪以后毫不气馁，也只有老鼠在偷袭人家奶酪以后心安理得。并且老鼠总是清楚地知道自己想要什么，不想要什么，什么是奶酪什么不是。但是人不这样，人总是很糊涂，有的人甚至根本不知道什么是奶酪什么不是，于是不但给自己造成痛苦也给别人造成了痛苦。”**

安杰拉点头表示同意：“你说的真有趣。我

发现自己很像唧唧，我有欲望，我还有道德理想。当我为了道德理想的时候，我的欲望让我感到痛苦，当欲望失控的时候，我就会做出让我日后羞愧的事情；当我为了欲望的时候，我的道德理想又经常在问我自己这样做是否值得，是否应该，我纠缠在这两个世界的中间，就像奶酪 N 站和奶酪 C 站，我不知道应该何去何从。”

“现在你知道了？”

“现在我也不知道，但是我打算像故事最后中的唧唧，我想试试，能不能建立起一个既有精神也有物质的完美世界。”

弗兰克笑了一下：“你的意思不会是说离开你现在富可敌国的老公，去重新找一块新奶酪吧？”

卡洛斯笑起来：“我们今天说的其实是如何不让别人动自己的奶酪，以及咱们自己如何占有别人的奶酪。”

安杰拉补充到：“我们得驱使别人为我们找奶酪而不是我们亲自去找。”

理查德一直皱着眉头，若有所思。他在想他的前妻：“她是我的爱情奶酪，我就这么让她走了！难道就没有办法留住她吗？我需要新的奶酪

吗？新的奶酪一定比旧的好吗？其实，我真正想要的奶酪就是她，只有她。我一直不知道，她把自己当作了旧奶酪，她认为我不关心她，我只关心工作。其实我是爱她的。”想到这里，他说：“原来我认为奶酪理论完全不适合爱情。奶酪可以再去找一块新的，但是难道爱人也可以吗？现在我知道，成功人士和圆满的婚姻是一样的，成功人士不会轻易放弃自己的旧奶酪，就像圆满的婚姻不会轻易放弃自己过去的爱人。但是成功人士和圆满的婚姻一样虚伪，他们总是鼓励别的人做和自己相反的事情。就像故事中最后部分的哼哼说的那句话，**什么叫虚伪，虚伪就是真诚地说假话；什么叫高级虚伪，高级虚伪就是说一半的真话。”**

说到这里，一丝微笑掠过他的脸庞：“听了这个故事，我必须承认，我开始喜欢这个想法——假如生活不是奶酪，是玉米棒子，我能捡一个丢一个吗？那么最后我找了半天，留在我手里的是什么？假如生活是一口井，我能挖两下就换一个地方再挖吗？那样的话我最后可能挖出一口真正的井吗？假如我不去动别人的奶酪，那么别人会不动我的奶酪吗？假如我去动别人的奶酪，

我和强盗有什么区别？到底什么叫成功？到底什么叫拥有奶酪？人人都想要的奶酪是我想要的吗？”

“也许我应该把这些观念运用到我的个人生活中去，”他补充说：“我的妻子认为她应该离开我去寻找新的奶酪，我应该去告诉她，过去在婚姻生活中我犯了错误，那是因为我太贪婪了，我太看重其他的奶酪了，现在我打算纠正这个错误，请她原谅我。我想告诉她我就是她最大最好的奶酪，她为什么要抛弃我？并不是越早放弃旧奶酪就越早有机会找到新奶酪，而且新奶酪也并不一定比就奶酪要好啊！”

听了这番话，人人都想到了自己的生活，大家安静下来。

“啊，”杰西卡清了清嗓子，打破宁静：“大家好像都在谈论自己的工作，只有理查德谈论了自己的个人生活。他的说法让我联想到了我自己。十年以前，那个《谁动了我的奶酪》的故事，让我感觉到我当时的婚姻就像一个长满霉菌的旧奶酪，当时我的做法是立刻扔掉旧奶酪去找一个新的来。”

柯瑞笑出声来，他表示赞同：“我也是，当

时我采取的行动也是让一段过去嘎然而止。”

安杰拉反驳道：“我和你不一样，我做了很多努力，一开始我并不是很想扔掉我的旧奶酪，我想也许这个旧奶酪只是一种旧的行为方式，我们需要放弃的只是引起这种状况的旧的行为方式，而不是这个奶酪。但是很快我就发现，当我现在的老公出现在我面前的时候，我意识到我必须整个扔掉那个旧奶酪，原因很简单，他无论怎么改变自己，他也不可能在我有生之年里做到像我现在的老公那么富有。所以我只好对他说：‘你去找一个新奶酪吧。’其实我说这句话的意思是想说：‘我需要一个新奶酪。’但是，我现在才真正的知道，我所要的奶酪是什么！当时我之所以要嫁一个富可敌国的人，是因为他是别人眼里的大奶酪，我以为别人眼里的奶酪一定也是我的奶酪，没有想到，后来才知道这个新奶酪一点也不适合我的口味。到现在已经整整十年了，我不知道应该怎么结束！一个人人羡慕的爱情奶酪成了一个让人食之无味舍之可惜的鸡肋。”

“对呀！”柯瑞受到启发：“我们经常会遇到这种情况，比如说我曾经喜欢过的女朋友，是一个女演员，所有的人都说她漂亮，是个漂亮的

大奶酪，于是我也就喜欢了，并且拼命地狂追，但是到了手以后，才发现完全不是什么自己喜欢的奶酪，就是一个鸡肋。我也为此忍受了一段时间，最后我只好对她说：‘你应该去找一个新奶酪了’，她听了冷冷地说：‘你不用这么委婉，你可以说：对不起，亲爱的，我们的婚姻失败了，她对我说她懂得什么叫去找新奶酪，那意思就是说过去的一切结束了，GAMEOVER。**找新奶酪是对失败的一种委婉表达，谁愿意天天去找新的奶酪呢？”**

理查德说：“我在想，也许这个新故事还有更多建设性的启发等我们挖掘。我能理解安杰拉说的每一件事情，一个草莓味道的奶酪不可能改变成一个香草味道的奶酪，而如果整个社会都在认同香草味道的奶酪的时候，这个时候又恰巧有这么一个香草味道的奶酪在你的身边，你是很难做到不扔掉旧奶酪的。当然后来你发现你不喜欢香草味道的奶酪，那是另外一件事情。我同意柯瑞说的，**找新奶酪是对失败的一种委婉的表达，在这个世界上都是成功的人在对失败的人说去找你的新奶酪吧！**我希望永远不要听到别人对我说这句话——你的奶酪没有了，旧了，坏了，去找

新的奶酪吧。我不指望有永远不发霉的奶酪，但是我希望我可以像嗅嗅和嗎嗎做的那样，在旧奶酪发霉之前，有一批受过专业培训的奶酪高手已经把新奶酪给我找来了。而我要做的就是把旧奶酪慷慨地分给他们，并且对新奶酪的质量好坏做出评价，并且建立一套所谓的激励机制，让更多的老鼠给我找更多的奶酪，让我的旧奶酪发霉去吧，我的新奶酪会源源不断地来到。”

迈克尔说：“我非常高兴你们能觉得这个故事对你们有所帮助，我也衷心希望你们有机会与别人分享这个故事。”

这时有人提议，迈克尔把这个故事整理出来。安杰拉说：“整理出来吧，我们的母校是所商学院，我想有许多期待奶酪的嗅嗅、匆匆、蛛蛛、嗎嗎和唧唧需要这个故事。”

“我想问一个问题，嗅嗅和匆匆他们最后能再次成为合作伙伴，两个人一起在迷宫里找新的奶酪么？”卡洛斯问。

迈克尔说：“你们希望什么样的结果？”

“我们当然希望他们能前嫌尽释，毕竟他们在一起找奶酪的成功可能性要大于他们单打独斗。”

迈克尔说：“对，合作大于对抗。我想他们是会合作的。在我们母校的庆典上，我会讲清楚这一点。我会对我们年轻的学弟学妹们说，假如你们要成为像我们一样成功的人士，你们就必须克服你们内心的软弱，你们必须像老鼠一样具备行动能力；而假如你们希望像哼哼一样度过自己宁静的一生，只需要一点很少的奶酪，那么去思想吧。很多年后，人们会在奶酪墙上看见你们写在上面的废话。”

“那么究竟是哼哼这样的一生更有意义还是唧唧的，或者蛛蛛的呢？”一直没有说话的贝基问。

“我看你也快成思想家了！”迈克尔说。所有的人都笑起来。

（京）新登字 083 号

图书在版编目（CIP）数据

我能动谁的奶酪/陈彤著. —北京：中国青年出版社，2002

ISBN 7-5006-4714-X

Ⅰ. 我...　Ⅱ. 陈...　Ⅲ. 个人—修养　Ⅳ. B825

中国版本图书馆 CIP 数据核字（2002）第 003131 号

中国青年出版社 出版 发行
社址:北京东四 12 条 21 号
邮政编码:100708
网址:www.cyp.com.cn
编辑部电话:(010)87638546
中国铁道出版社印刷厂印刷　新华书店经销
787×1092　1/32　3.5 印张　2 插页　40 千字
2002 年 2 月北京第 1 版　2002 年 2 月北京第 1 次印刷
印数:1—100,000 册
定价:12.00 元
本图书有印装质量问题,请与出版处联系调换
联系电话:(010)64033570